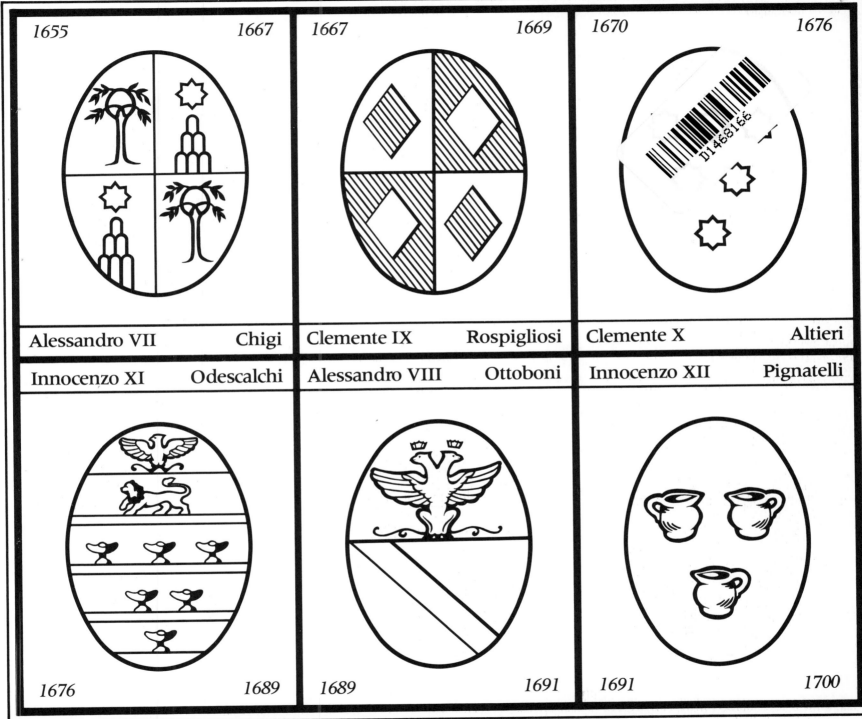

| 1655 | 1667 | 1667 | 1669 | 1670 | 1676 |

Alessandro VII   Chigi

Clemente IX   Rospigliosi

Clemente X   Altieri

Innocenzo XI   Odescalchi

Alessandro VIII   Ottoboni

Innocenzo XII   Pignatelli

| 1676 | 1689 | 1689 | 1691 | 1691 | 1700 |

SPLENDEURS DU VATICAN

CHEFS-D'ŒUVRE DE L'ART BAROQUE

to My dear friends
Amb. Bill and Beatty Wilson
to remember the date
they have in Rome next fall

Vittorio

July 18. 1986

SPLENDEURS DU VATICAN

CHEFS~D'ŒUVRE DE L'ART BAROQUE

CATHERINE JOHNSTON • GYDE VANIER SHEPHERD • MARC WORSDALE

MUSÉE DES BEAUX-ARTS DU CANADA,
OTTAWA, 1986

Données de catalogage avant publication (Canada)

Splendeurs du Vatican.

Publ. aussi en anglais sous le titre : Vatican splendour.

Bibliographie : p.

Sommaire : Le rôle du mécénat des papes dans l'art baroque italien / Catherine Johnston – Jeux de mots sans paroles dans l'œuvre du Bernin et de ses contemporains / Marc Worsdale – L'art de la révélation / Gyde Vanier Shepherd.

ISBN 0-88884-534-0 : 29,95 $

1. Art baroque—Cité du Vatican.   2. Art baroque—Italie.   3. Art baroque—Québec (Province)   4. Palais du Vatican (Cité du Vatican)   5. Bernini, Gian Lorenzo, 1598-1680.

I. Johnston, Catherine. Le rôle du mécénat des papes dans l'art baroque italien.
II. Shepherd, Gyde Vanier, 1936–   . L'art de la révélation.   III. Worsdale, Marc, 1954–   . Jeux de mots sans paroles dans l'œuvre du Bernin et de ses contemporains.
IV. Musée des beaux-arts du Canada.

N6415 B3 V3314 1986   709'.03'2   CIP 86-099508-9

ISBN 0–88884–534–0

CONCEPTION GRAPHIQUE : Frank Newfeld
IMPRIMÉ AU CANADA

ITINÉRAIRE DE L'EXPOSITION

Musée des beaux-arts du Canada, Ottawa, du 6 mars au 11 mai 1986

Vancouver Art Gallery, du 14 juin au 1er septembre 1986

Musée des beaux-arts de l'Ontario, Toronto, du 3 octobre au 30 novembre 1986

Musée des beaux-arts de Montréal, du 19 décembre 1986 au 15 février 1987

Cette exposition a été rendue possible grâce à la générosité de Northern Telecom Limitée et Alitalia.

DESIGN ET INSTALLATION DE L'EXPOSITION : George Nitefor

Les frais d'assurance de cette exposition sont défrayés par le gouvernement du Canada en vertu du Programme d'assurance des expositions itinérantes.

COUVERTURE
Détail du cat. no 4
Le Dominiquin
La Dernière Communion de saint Jérôme   1614
Pinacothèque vaticane

Quelques mots de Northern Telecom…

À Northern Telecom, nous croyons que le financement de manifestations culturelles est nécessaire pour favoriser l'avènement d'une société plus riche et plus éclairée. Nous subventionnons des programmes qui transcendent les frontières et rejoignent les gens grâce au langage universel de l'art.

L'extraordinaire collection d'objets religieux qui compose l'exposition *Splendeurs du Vatican* évoque le caractère universel de la condition humaine et la beauté que l'esprit humain s'efforce d'atteindre. Au cours de la tournée nationale de l'exposition, un grand nombre de Canadiens pourront participer à cette célébration de l'image flamboyante et irrésistible de l'art baroque du XVIIe siècle.

À cette occasion, un grand nombre d'œuvres d'art seront montrées pour la première fois en Amérique du Nord. Northern Telecom est fière de contribuer à la réalisation de cette exposition, en collaboration avec nos amis du Musée des beaux-arts du Canada, du Musée des beaux-arts de l'Ontario, de la Vancouver Art Gallery et du Musée des beaux-arts de Montréal.

DAVID VICE,

président de
Northern Telecom Limitée

... et d'Alitalia

Une grande partie des trésors artistiques que nous admirons aujourd'hui sont là grâce à la bienveillance et aux investissements judicieux des grands mécènes de l'histoire.

L'intérêt plus direct que porte Alitalia à la culture, remonte à 1960, alors que des œuvres de peintres italiens contemporains furent exposées à bord des DC-8 de la compagnie. Plus récemment, au nombre des événements commandités par Alitalia figurent le Festival des Deux Mondes à Spolète, la Biennale du cinéma à Venise, et les expositions *Florence et les Médicis au XVIe siècle, Le Génie de Venise* à Londres, et, tout dernièrement, *Caravaggio* à New York.

C'est aussi sa technologie de pointe qu'Alitalia met au service de l'art : grâce à l'endoscopie que les techniciens de la compagnie ont effectué du bronze de Marc Aurèle, cette magnifique statue équestre – pièce centrale de la célèbre place du Capitole à Rome, conçue par Michel-Ange – put être restaurée. Les mêmes examens poussés ont été effectués sur le Cavallo Mazzocchi à Naples, et, récemment, sur les Guerriers de Riace.

La technologie et l'art sont donc deux facettes de la même réalité complexe qu'est l'homme.

ALITALIA

Avant-propos

L'exposition *Splendeurs du Vatican : Chefs-d'œuvre de l'art baroque* est née à la fois d'un rêve déçu et d'un projet non réalisé. Chargé d'une mission auprès des autorités du Vatican, à l'automne de 1981, pour obtenir, si cela était possible, que la grande exposition des chefs-d'œuvre du Vatican présentée dans trois musées américains en 1983 fasse un détour à Ottawa, sinon dans sa totalité du moins dans une partie qui rejoigne certaines œuvres de notre collection, je ne croyais pas nécessairement au miracle mais j'étais convaincu qu'un projet d'exposition naîtrait de ma démarche même si son but principal n'était pas atteint. Connaissant l'esprit d'ouverture des autorités des Musées du Vatican, je me préparais, au cas d'un refus, à leur suggérer de nous prêter les œuvres, certaines incluses dans la tournée américaine, qui pourraient être mises en comparaison avec quelques-unes des plus belles œuvres de l'art baroque de notre collection, telles que le Bernin, le Rubens et le Poussin, de façon à créer une exposition dont le thème serait l'importance du rôle des papes et de leur cour sur l'art italien du XVIIe siècle. Cette proposition fut accueillie avec enthousiasme par le professeur Carlo Pietrangeli, directeur des Musées du Vatican, forcé par les circonstances à refuser ma première demande. À cause de l'ampleur de l'entreprise de l'exposition américaine, les autorités du Vatican m'ont demandé de resoumettre mon projet un peu plus tard afin qu'elles puissent à leur tour évaluer les conséquences de leur première tentative d'exposition internationale. Je tiens à souligner le rôle qu'a joué, dès la première étape de mes démarches, l'ambassadeur du Canada au Vatican, M. Yvon Beaulne, qui m'a guidé dans les dédales de l'administration vaticane, aidé en cela par un dévoué personnel attaché à l'ambassade et soutenu par le concours des services appropriés de notre ministère des Affaires extérieures. M. Beaulne a écrit la première lettre officielle de demande au Secrétaire d'État, le cardinal Agostino Casaroli, dont la réponse fut extrêmement cordiale et positive.

Il nous restait à préciser notre projet et lui donner un cadre et l'approfondir pour en tirer le plus de substance possible. Cette tâche fut confiée aux conservateurs d'art européen, Myron Laskin, Catherine Johnston et Michael Pantazzi. Tout au long de nos échanges avec les autorités du Vatican, M. Beaulne, et l'ambassadeur qui lui a succédé, M. Pierre Dumas, n'ont cessé d'assurer par leurs démarches et leurs contacts diplomatiques la poursuite de notre projet et d'encourager sa réussite. Nous leur en sommes infiniment reconnaissants.

Pour répondre à une demande exprimée dès le départ par les autorités du Vatican, le Musée des beaux-arts du Canada avait pris l'engagement d'inclure dans une tournée canadienne d'autres musées canadiens, en tenant compte de la distribution géographique et de l'étendue éventuelle des publics. Le premier directeur de musée à accepter avec enthousiasme notre projet fut William Withrow, le directeur du Musée des beaux-arts de l'Ontario, qui en a suivi le déroulement, étape par étape, et a contribué par son action efficace à en assurer la contribution financière nécessaire à son succès. La Vancouver Art Gallery a emboîté le pas, choisissant ainsi de célébrer Expo 86 par une exposition de calibre international et le Musée des beaux-arts de Montréal a exprimé le désir de clore ce parcours canadien.

La conservatrice chargée de l'organisation de l'exposition même, Catherine Johnston, conservatrice d'art européen, a défini les limites du contenu de l'exposition et a réussi à en assurer la qualité et la signification. Elle a pu partager la responsabilité du catalogue avec un historien de l'art, spécialiste du Bernin, Marc Worsdale, résidant à Rome, et le directeur adjoint des Programmes publics du Musée des beaux-arts du Canada, Gyde Shepherd, qui a jeté un regard d'historien sur l'art religieux produit au Canada, surtout en Nouvelle-France, et a pu en retracer l'influence baroque. À cet égard, nous sommes reconnaissants aux Augustines de l'Hôtel-Dieu de Québec de nous avoir prêté le reliquaire du père Jean de Brébeuf qui illustre bien cette influence lorsqu'il est rapproché du reliquaire de sainte Bibiane prêté par la basilique Sainte-Marie-Majeure à Rome.

À cause de la diversité des institutions du Vatican, qui ont accepté avec les Musées du Vatican de participer à notre exposition, de multiples démarches se sont ajoutées aux premières et ont entraîné des séries d'interventions, de demandes et d'ententes et nous tenons à exprimer notre reconnaissance à tous ceux qui nous ont accordé magnanimement leur concours. Nous réitérons nos respectueux hommages et notre profonde gratitude au Secrétaire d'État du Vatican, le cardinal Agostino Casaroli, qui a accordé son bienveillant patronage à notre projet, et aux autres cardinaux responsables des institutions du Vatican, le cardinal Sebastiano Baggio, le cardinal Alfons Stickler, le cardinal Aurelio Sabattani, le cardinal Carlo Confalonieri, le cardinal Ugo Poletti, et le cardinal Pietro Palazzini.

Nous aimerions souligner la bienveillante ouverture d'esprit du révérend père Leonard Boyle, préfet de la Bibliothèque vaticane, grâce à qui nous devons des œuvres de grande qualité. Nous ne pourrions assez souligner le constant et vigilant intérêt du Secrétaire général des Musées du Vatican, le Dr Walter Persegati, et l'appui efficace de Mme Bonicatti dont la présence au Secrétariat a assuré la rapide solution des nombreux problèmes que pose l'organisation matérielle d'une exposition. L'autorité du marquis Giulio Sacchetti, haut fonctionnaire du Vatican, a permis la ratification d'un contrat liant des partenaires dont la confiance mutuelle ne fit que grandir au cours des négociations.

Le chef du Service des expositions du Musée des beaux-arts du Canada, Willard Holmes, a, jusqu'à son départ pour Vancouver, contribué par ses persévérants efforts, à l'heureux déroulement des pourparlers entre les autorités des Musées du Vatican, nous-mêmes et les responsables des autres musées.

Pour réussir une entreprise de l'envergure de celle que représente l'exposition *Splendeurs du Vatican : Chefs-d'œuvre de l'art baroque*, il faut compter sur des ressources financières suffisantes pour couvrir toutes les dépenses qu'entraînent la mise sur pied de l'exposition et l'ampleur de son parcours. Nous avons pu, grâce au dévouement et au savoir-faire du directeur du Musée des beaux-arts de l'Ontario et de son personnel, obtenir une subvention de Northern Telecom Limitée qui est partagée également entre les musées où sera présentée l'exposition. Nous exprimons notre reconnaissance au président de Northern Telecom Limitée, M. D.G. Vice et à M. John Strimas, un des vice-présidents, qui croient à la créativité et à la communication et savent apprécier les efforts que nous faisons pour entretenir ces activités.

Nous devons remercier Alitalia dont la généreuse contribution a permis de transporter sans frais les œuvres d'art de Rome à Ottawa et de Montréal à Rome, et le transport des dignitaires et des convoyeurs.

Il est certain que la visite triomphale du pape Jean-Paul II au Canada, à l'automne de 1984, a été le glorieux prélude à l'exposition des chefs-d'œuvre de l'art baroque des Musées du Vatican associés à ceux du Musées des beaux-arts du Canada. L'ouverture sur le monde du Saint-Père a permis que notre ambitieux projet soit réalisé et fournit aux Canadiens de toute dénomination religieuse l'expérience unique d'admirer les splendeurs du Vatican encadrées par la collection d'art européen du Musée des beaux-arts du Canada.

JOSEPH MARTIN,
directeur du
Musée des beaux-arts
du Canada

Prêteurs

Monumenti, Musei e Gallerie Pontificie

    Pinacothèque vaticane

Bibliothèque apostolique vaticane

    Musée Sacré

    Cabinet des médailles

    Archives Chigi

Archives secrètes du Vatican

Révérende Fabrique de Saint-Pierre

Sacristie de la chapelle Sixtine

Sacristie de la basilique Sainte-Marie-Majeure

Musée de la basilique Saint-Jean-de-Latran

Joey et Toby Tanenbaum, Toronto,
    prêt au Musée des beaux-arts de l'Ontario

Musée des beaux-arts du Canada

Préface et remerciements

Les œuvres de la présente exposition dont il ne serait question dans aucune publication sont certainement rares, mais certaines peuvent ne pas être connues des visiteurs, car elles sont pour la plupart toujours restées au Vatican. Plusieurs d'entre elles viennent d'être nettoyées et restaurées. Le catalogue présente les œuvres dans l'ordre suivant : peintures, sculptures, médailles, ornements et tapisseries; et, par ordre chronologique, à l'intérieur de chaque groupe. Il a parfois été impossible d'attribuer une œuvre à un artiste de façon certaine; dans ces cas, le texte en rapporte les raisons. De même, les dates ne sont accolées au titre que s'il existe une preuve documentaire venant les étayer. Dans les cas où l'œuvre est attribuée à plusieurs artistes, le « concepteur » a préséance sur les « exécutants » comme les graveurs ou les bronziers. Quant à la broderie, l'état actuel de la documentation ne permet pas d'accéder à une conclusion satisfaisante pour déterminer avec exactitude quels en sont les auteurs. Les numéros d'inventaire correspondent aux collections auxquelles les œuvres appartiennent; l'absence de numéro indique que l'œuvre n'en possède point. Dans les dimensions, la hauteur précède la largeur qui, à son tour, précède la profondeur.

Les différentes notices du catalogue comportent des références, mais nous n'avons pas essayé d'établir une bibliographie complète. De même, la provenance d'une œuvre peut être citée en partie, mais, pour que le catalogue reste accessible à tous, nous n'avons pas cherché à aller plus loin. Une bibliographie choisie s'adresse au lecteur qui veut s'intéresser d'avantage au sujet. Elle ne comprend pas les articles, fort nombreux, parus ces dernières années dans les revues spécialisées, mais nous espérons qu'elle y donnera accès. La peinture et la sculpture de la Rome du XVIIe siècle sont bien connues, mais l'étude des arts « mineurs » ne sort généralement pas du petit cercle des spécialistes. Souhaitons que la présence d'objets liturgiques, de médailles papales, d'ornements et de tapisseries dans cette exposition, de même que les illustrations de l'introduction, donneront aux lecteurs une idée de l'ampleur du sujet.

Pour l'aide qu'ils ont apportée, les auteurs veulent remercier avant tout le professeur Carlo Pietrangeli, directeur général des Musées du Vatican, et le révérend père Leonard Boyle, préfet de la Bibliothèque apostolique vaticane, pour la bonté et la patience remarquables dont ils ont fait preuve pour leur faciliter l'accès aux œuvres dont ils sont responsables, ainsi que M. Fabrizio Mancinelli, conservateur de l'art byzantin, médiéval et moderne aux Musées du Vatican, et à M. Giovanni Morello, conservateur du Musée Sacré, pour tout le temps qu'ils leur ont consacré et pour les renseignements qu'ils leur ont fournis. Ils tiennent également à remercier M. Giancarlo Alteri, du Cabinet des médailles de la Bibliothèque apostolique vaticane, Mgr Lino Zanini, archevêque délégué à la Révérende Fabrique de Saint-Pierre et l'architecte Pier Luigi Silvan, le révérend père Josef Metzler, préfet, et Mgr Charles Burns, des Archives secrètes, Mgr Pietro Canisio Van Lierde pour le prêt des devants d'autel de la chapelle Sixtine, Mgr Dilwyn J.D. Lewis et Mgr Gioacchino Sormanti de Sainte-Marie-Majeure, et enfin, Mgr Mario Di Sora de Saint-Jean-de-Latran. Nous aimerions aussi souligner l'excellent travail de Biagio Cascone et de Maurizio Parodi du laboratoire de restauration du Vatican lors du nettoyage et de la restauration de la plupart des objets de l'exposition.

Catherine Johnston tient à exprimer ses remerciements les plus sincères à Jennifer Montagu, qui a discuté avec elle de nombreux problèmes relatifs au catalogue de l'exposition, qui a fourni des photocopies des pages de l'*Aedes Barberinae* et qui a partagé généreusement pendant plusieurs années les connaissances qu'elle possède sur l'Algarde. Elle remercie également Suzanne Boorsch, du Metropolitan Museum de New York, Stefania Massari, Evelina Borea et Simonetta Prosperi Valenti Rodinò, de l'Istituto Nazionale per la Grafica, Elisabeth Kieven, de la Biblioteca Hertziana, à Rome, et Borjë Magnusson, du Nationalmuseum à Stockholm, de même que John Beldon Scott, qui a volontiers répondu aux questions concernant l'iconographie des tapisseries Barberini, à laquelle il s'intéresse, et Mgr Dante Pasquinelli, de la nonciature apostolique à Ottawa, qui a fourni des détails iconographiques concernant les mêmes tapisseries. Nous exprimons notre reconnaissance à Serena Hortian, qui a également fait preuve de beaucoup de patience pour essayer de retrouver la soie aux emblèmes d'Alexandre VII produite au début du siècle par les Soies Scalamandré. Enfin, on ne peut oublier la généreuse hospitalité, à Rome, de Giulia Cornaggia Medici et de Claudia Sanfelice, non plus que l'enthousiasme dont elles ont fait preuve à la recherche d'objets d'art dans les églises et les palais de Rome, et notamment dans la sacristie Borghèse de Sainte-Marie-Majeure. À la bibliothèque du Musée des beaux-arts, le concours de Sylvia Giroux a été très précieux, et Maija Vilcins, avec son désintéressement habituel, s'est attaquée à de nombreux problèmes iconographiqes, et ce, bien au-delà des limites de la bibliothèque. Les conservatrices des estampes et dessins du Musée des beaux-arts de l'Ontario et du Musée des beaux-arts du Canada, Katherine Lochnan et Mimi Cazort, nous ont fourni les photographies de dessins reproduites dans l'introduction. Lynda Muir s'est acquittée de façon exemplaire de la tâche difficile consistant à coordonner la préparation d'un manuscrit à plusieurs auteurs, et Esther Beaudry, de son côté, a fait un excellent travail pour l'édition française.

Marc Worsdale tient à remercier tout particulièrement Jennifer Montagu pour avoir attiré son attention sur le dessin de la rose d'or aux armes des Chigi, figure 16, et pour l'avoir autorisé à publier la photographie qu'elle en avait prise; Henry Lee Bimm, pour la photographie du motif pour broderie d'ornement, figure 21; et Meinolf Trudzinski, pour celle du portrait de Clément IX, figure 11; Ron Lacy, de Bryn Mawr, qui a signalé que les feuilles apparaissant dans le dessin de la rose d'or du Bernin, figure 16, sont des feuilles de chêne; Brian Rose, de l'université Columbia, pour l'aide qu'il apporta à la dactylograhie du manuscrit; Sheherazade Barthel-Hoyer pour l'embellissement stylistique de l'introduction; William Worsdale pour sa contribution à la traduction française de l'introduction, de même que Derrick Worsdale pour sa collaboration au texte français des notices. Enfin, il désire exprimer sa reconnaissance aux membres du Musée des beaux-arts du Canada, en particulier à ceux qu'il n'a pu remercier personnellement, réitérant sa gratitude aux réviseurs et à la responsable des photographies, Colleevn Evans, et adressant un merci spécial à Catherine Johnston pour sa collaboration amicale, à Gyde Shepherd, Willard Holmes, Craig Laberge, Irene Lillico et Catherine Sage.

CATHERINE JOHNSTON

MARC WORSDALE

La venue du pape Jean-Paul II à Québec, le 9 septembre 1984, pour entreprendre un pèlerinage historique au Canada, coïncidait avec le 450ᵉ anniversaire de la découverte du Saint-Laurent par Jacques Cartier. Le Musée du Québec, désirant souligner cet événement, mettait sur pied une exposition magistrale, *Le Grand Héritage : L'Église catholique et les arts au Québec*, inaugurée par la pape le 10 septembre. Organisée par Jean Trudel et ses nombreux collaborateurs, l'exposition, de même que l'ouvrage richement illustré qui l'accompagnait, ont fait époque dans l'histoire des arts au Canada. Le catalogue de l'exposition publié avec le volume *L'Église catholique et la Société du Québec*, fournit une bibliographie et une liste des expositions des plus appropriées. Plusieurs de ces publications sont offertes en anglais et en français, notamment *La peinture du Canada, des origines à nos jours,* de Harper, publiée en 1966, et *Les grandes étapes de l'art au Canada*, de Mellen, parue en 1981. Soulignons aussi la parution prochaine, en 1986 aux Éditions de l'Homme, d'un ouvrage attendu sur la sculpture québécoise intitulé *La sculpture au Québec, trois siècles d'art religieux et profane*, par John Porter.

À l'occasion de la présentation des *Splendeurs du Vatican*, « L'art de la révélation » veut célébrer l'art et l'histoire de l'art du Québec au temps de la colonie. Bien que toute erreur de date, d'attribution et toute généralisation soient imputables à l'auteur, celui-ci est redevable du présent essai à Marius Barbeau, Jean Sutherland Boggs, Marie-Aimée Cliche, François-Marc Gagnon, Alan Gowans, Russell Harper, Charles Hill, Robert Hubbard, Yves Lacasse, Laurier Lacroix, G.-É. Marquis, Peter Mellen, Jacques Monet, s.j., Peter Moogk, Gérard Morisset, Michael Pantazzi, John Porter, Dennis Reid, Pierre-Georges Roy, Ramsay Traquair, Jean Trudel et Doreen Walker, et le leur dédie. Nous sommes aussi reconnaissant à l'érudition dont ont fait montre Anthony Blunt dans *Art et Architecture en France, 1500–1700* (1983), William Crelly dans *The Painting of Simon Vouet* (1962), et Cecil Gould dans *Bernini in France, An Episode in Seventeenth-Century History* (1981).

Finalement, en sa qualité de chef intérimaire des expositions et de directeur adjoint des programmes publics, il aimerait remercier tous les membres du Musée des beaux-arts du Canada qui ont contribué à faire de cette réalisation un succès. Des remerciements doivent aussi être adressés au chef des publications, Peter Smith, aux réviseurs, Esther Beaudry et Lynda Muir, à la responsable des photographies, Colleen Evans, à l'agent de la production, Arnold Witty, à la coordonnatrice de la rédaction, Irene Lillico, et à l'opératrice du traitement des textes, Sylvie Lefebvre. MacGregor Grant et Anne Maheux, du laboratoire de conservation et de restauration, ont fourni les garanties nécessaires à la sécurité de tous les objets faisant partie de l'exposition, comme l'ont fait également André Fortin, chef des services techniques, Kathleen Harleman, régistraire, Jacques Desjardins, chef de la division de la sécurité, et Émile Mongrain, chef du parc automobile aux Musées nationaux du Canada. Dwayne Darling, conseiller financier, et Bernard Pelletier, agent de la gestion du matériel, de même que Philip Palmer et David Walden du ministère des Communications, nous ont fait bénéficier de leur expertise; JoAnne Doull a apporté son savoir-faire administratif; Alison Cherniuk et Catherine Sage, du service des expositions, ont aidé à la planification générale de l'exposition et de la tournée qu'elle entreprendra; Monique Baker-Wishart a mis sur pied le programme éducatif de l'exposition pour Ottawa; et Janine Smiter et son équipe ont veillé à ce que l'exposition reçoive une promotion adéquate. Il se réjouit d'avoir pu travailler avec eux à l'édification de cette exposition majeure sur l'art baroque.

GYDE VANIER SHEPHERD

1

*Vue de la basilique Saint-Pierre
et du palais du Vatican*, v. 1600
dessin anonyme,
Wolfenbüttel, Herzog August
Bibliothek (Cod. Guelf. 136 Extrav.)

CATHERINE JOHNSTON

Le rôle du mécénat des papes dans l'art baroque italien

C'est indiscutablement à Rome que naquit et se développa l'art baroque, grâce, surtout, au mécénat de la cour pontificale. Les papes et leurs neveux, les cardinaux et les autres dignitaires pontificaux s'intéressèrent à l'art comme jamais auparavant. Peintres, sculpteurs, architectes et artisans de toutes sortes avaient toujours été attirés par Rome, mais cette fois, pour répondre aux recommandations du Concile de Trente visant à réformer et revitaliser l'Église catholique par l'art, tout un nouvel éventail de possibilités se présentèrent. Dédiées aux premiers martyrs chrétiens, les églises Sainte-Bibiane, Sainte-Cécile, Sainte-Martine et Sainte-Suzanne par exemple, furent reconstruites et décorées, et on construisit trois églises dédiées à saint Charles Borromée, canonisé en 1610. De nouveaux ordres furent fondés, notamment ceux des oratoriens et des théatins, tandis que d'autres furent réformés, comme les capucins et les carmes déchaux. Ces ordres avaient besoin de couvents, et d'églises avec retables et sculptures, de même que d'objets et de vêtements liturgiques pour la célébration de la messe. Pour la prière des quarante heures, recommandée à l'initiative des jésuites, et les processions religieuses dans les rues, de même que pour les catafalques des papes et des cardinaux, on avait besoin de créateurs de décors et de chars éphémères.

Saint-Pierre – le centre de la foi catholique – avait subi des transformations depuis plus d'un siècle (voir fig. 1). Depuis le milieu du XVe siècle, la vieille basilique constantinienne était jugée en trop mauvais état et trop petite pour les pèlerins qui affluaient en grand nombre dans la Ville éternelle. À l'église à plan central conçue par Bramante, Carlo Maderno devait ajouter une nef aux proportions énormes, donnant au plan la forme d'une croix latine. La décoration intérieure de Saint-Pierre et les modifications apportées à ses environs immédiats devaient occuper le Bernin et une foule d'artistes pour le reste du siècle. C'est à cette époque que le pontife abandonna le palais adjacent à Saint-Jean-de-Latran, et agrandit en conséquence les appartements pontificaux du palais du Vatican, mais ceux-ci s'avérèrent peu habitables en été, en raison de leur faible altitude qui les rendait vulnérables aux épidémies de malaria. La villa de Grégoire XIII, sise sur la colline du Quirinal, célèbre pour ses brises et ses jardins agréables, fut agrandie et embellie par plusieurs papes successivement. Les neveux de ces papes s'installèrent à proximité, s'établissant avec splendeur. Dans leur entourage, on trouvait des hommes d'érudition qui les aidaient à constituer des bibliothèques et des collections de peintures et de sculptures antiques. Pour la décoration de leurs villas entourées de jardins avec des fresques aux sujets mythologiques, ils employaient souvent les peintres les plus célèbres de l'époque.

Depuis les décorations monumentales réalisées par Raphaël et Michel-Ange dans la première moitié du XVIe siècle, la peinture romaine n'était plus qu'une pâle imitation de l'art, où la forme dominait et d'où toute sincérité était absente. Vers 1580 environ, trois peintres du nord de l'Italie, par leurs œuvres empreintes de naturalisme, insufflèrent une nouvelle vigueur à la scène artistique. C'est à Annibale Carracci et au Caravage – de même qu'à Federico Barocci, de la génération précédente – que le style connu sous le nom de baroque doit d'exister. Leurs œuvres étaient nouvelles par leur examen attentif du monde naturel et par la fraîcheur de leur vision artistique. Tout au long du XVIIᵉ siècle, par étapes successives connues sous le nom de haut baroque et de baroque tardif, les plafonds *da sotto in sù* devaient devenir la norme, et les façades sinueuses et les illusions architecturales de Borromini et du Bernin devaient transformer l'aspect extérieur de Rome. C'est seulement vers le milieu du siècle que d'autres villes italiennes, notamment Naples, Gênes, Florence, et Bologne, devaient produire leur propre interprétation de ce style.

Il est possible de caractériser dans une certaine mesure les divers pontificats, de même que les personnalités artistiques rassemblées par les papes et leur neveux-cardinaux. On se souvient peut-être de Clément VIII Aldobrandini (pape de 1592 à 1605) pour ses réalisations temporelles : ses efforts pour ramener la France et la Pologne au sein de l'Église, son appui aux missions en Orient, en Afrique et dans le Nouveau Monde, et l'annexion de Ferrare aux États pontificaux; mais c'était un homme humble et pieux, qui n'hésitait pas à marcher pieds nus à l'occasion de processions et de pèlerinages. Il favorisa les oratoriens, accordant son amitié à leur fondateur, saint Philippe Neri – un dessin du Musée des beaux-arts du Canada (fig. 2) montre le saint rendant visite au pape au cours d'une de ses douloureuses attaques de goutte. Son confesseur, le cardinal Baronius, fut le brillant auteur d'une histoire en douze tomes de l'Église, les *Annales ecclesiastici*.

Dans le domaine artistique, le règne de

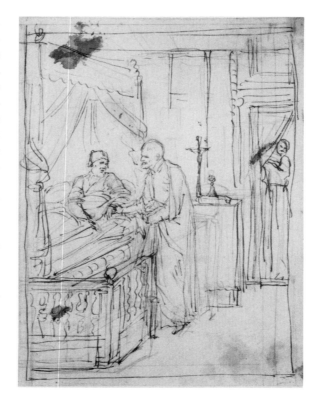

Clément VIII fut une période de transition. À Saint-Pierre, il ajouta l'orbe et la croix en bronze qui couronnent la lanterne de la coupole de Michel-Ange et il commanda au chevalier d'Arpin des mosaïques pour la surface intérieure de la coupole. Les retables commandés à cette époque pour la basilique suivaient un programme conçu par Baronius et étaient consacrés à saint Pierre; ils furent l'œuvre d'artistes assez conventionnels, notamment Roncalli, Vanni et Passignano[1]. C'est pourtant pendant cette même période que le Caravage révolutionna la peinture avec ses scènes dramatiques et réalistes : *Appel et Martyre de saint Matthieu* (1599–1601, dans la chapelle du cardinal Matthieu Cointrel, à Saint-Louis-des-Français), *Conversion de saint Paul* et *Crucifixion de saint Pierre* (1600–1602, chapelle de Tiberio Cerasi, trésorier du pape, à Sainte-Marie-du-Peuple). Sa *Mise au tombeau* fut de même commandée pour orner la chapelle d'un membre de la cour pontificale à la Chiesa Nuova (voir cat. n° 3). Le Caravage reçut commande d'un retable pour Saint-Pierre : la *Madone au Serpent* fut peinte pour la chapelle des Palafrenieri, les palefreniers du pape. Livrée en 1606, un an après la mort de Clément VIII, elle ne décora la basilique que brièvement et se retrouva dans la collection du cardinal Scipione Borghèse. Pour sa chapelle familiale, Sainte-Marie-de-la-Minerve, le pape commanda à Barocci une *Dernière Cène*, mais cette œuvre ne devait également être terminée qu'après sa mort. Dans la grande salle d'audience du palais du Vatican, la salle Clémentine, il demanda à Giovanni et Cherubino Alberti de peindre des fresques sur le plafond en utilisant des perspectives architecturales en trompe-l'œil[2]. Le trompe-l'œil était impressionnant, mais le vocabulaire était nettement maniériste et ne pouvait soutenir la comparaison avec les fresques extrêmement complexes peintes par Annibale Carracci dans la galerie Farnèse. Celui-ci, avec ses *quadri riportati* et ses *ignudi*, s'inspira manifestement du plafond de Michel-Ange dans la chapelle Sixtine, mais le rendu des personnages dans l'œuvre de Carracci est le fruit d'une observation attentive de la nature imprégnée d'esprit classique. Avec l'aide d'assistants, Annibale exécuta des paysages à fresque dans la chapelle du palais Aldobrandini; ces derniers devaient inaugurer le genre de la peinture de paysage du XVIIe siècle.

Si les goûts personnels du pape n'étaient pas à l'avant-garde, son neveu, le cardinal Pietro Aldobrandini, y porta toutefois une attention éclairée. Pour l'abbaye des Trois-Fontaines, dont Aldobrandini était le protecteur, le Guide produisit, dans un style caravagesque, le *Martyre de saint Pierre*, qui se trouve aujourd'hui à la Pinacothèque vaticane (mais qui

ne pouvait figurer dans la présente exposition, étant peint sur panneau). Pour l'église titulaire du cardinal, la cathédrale de Ravenne, le Guide devait peindre plus tard des fresques dans la coupole de la chapelle du Saint-Sacrement. Également à la demande du cardinal Aldobrandini, le Dominiquin peignit l'*Assomption de la Vierge* sur le magnifique plafond à caissons de Sainte-Marie-au-Transtévère, et exécuta les superbes paysages à fresque (maintenant à la National Gallery de Londres) sur l'histoire d'Apollon pour la villa Aldobrandini de Fracasti. On peut également ajouter que la peinture à l'huile du Dominiquin représentant le *Bain de Diane* fut commandée à l'origine par le cardinal Aldobrandini. Deux autres cardinaux de l'époque Aldobrandini eurent des collections remarquables. Le cardinal Francesco del Monte (mort en 1626), dont on se souvient surtout comme du premier mécène du Caravage à Rome, pouvait s'enorgueillir d'avoir plusieurs œuvres de ce maître dans sa collection. Le cardinal Paolo Emilio Sfondrati, neveu de Grégoire XIV, fit restaurer l'église Sainte-Cécile-au-Transtévère à la suite de la découverte des restes de la sainte en 1599. Pour cette église, il commanda au Guide des œuvres dédiées à sainte Cécile, et à Stefano Maderno la remarquable statue en marbre où la sainte est représentée prostrée et qui est incorporée dans le maître-autel[3]. Il ne faut pas oublier qu'après le séjour de six mois de Clément VIII à Ferrare, en 1598, une grande partie de la collection d'Este fut transférée à Rome. La *Fête des dieux*, de Giovanni Bellini, et la *Bacchanale*, de Titien, qui provenaient du célèbre *Camerino d'Alabastro* du palais ducal de Ferrare, devaient avoir une influence considérable sur l'évolution de la peinture baroque.

Sous le pontificat de Paul V Borghèse (pape de 1605 à 1621), l'achèvement de la basilique Saint-Pierre vint nettement en priorité. Des centaines d'hommes travaillèrent littéralement jour et nuit pour démolir l'ancienne

3
Martino Ferrabosco
*Façade de la basilique
Saint-Pierre avec les armes
des Borghèse*, v. 1620
gravure, éditée en 1684
Metropolitan Museum of Art,
New York (52.519.172[12])

construction et bâtir la nef conçue par Carlo Maderno, achevée en 1615 (voir fig. 3). Le nouveau souverain pontife fit également construire la chapelle de sa famille dans l'église Sainte-Marie-Majeure. Sur les murs latéraux, il fit dresser des monuments funéraires le représentant ainsi que Clément VIII, son prédécesseur[4]. Le cavalier d'Arpin et le Guide peignirent des fresques dans les pendentifs et les lunettes du haut, inspirées de l'iconographie oratorienne qui glorifiait la Vierge et rendait hommage aux églises d'Orient et d'Occident. On doit aussi au Guide la décoration de la chapelle de l'Annonciation au palais du Quirinal où Tassi, Gentileschi et Lanfranco décorèrent les salles d'audience. Au palais du Vatican, le Guide décora de fresques les appartements du neveu du pape, Scipione Caffa-

relli, et exécuta son œuvre la plus célèbre, le plafond à l'*Aurore*, pour le casino du palais de ce dernier, situé en face du Quirinal. Peu après, le cardinal Scipione, qui prit le nom de Borghèse, fit construire à proximité une villa pour loger son immense collection d'antiquités et sa collection de maîtres de la Renaissance et de peintres romains contemporains. Collectionneur insatiable, il s'appropria *La Mise au Tombeau* de Raphaël qui décorait la chapelle Baglioni à Pérouse, des œuvres de Dosso appartenant à la collection d'Este à Ferrare, le *Bain de Diane* du Dominiquin et, semble-t-il, n'hésita pas à s'emparer de la *Madone des Palefreniers*, œuvre du Caravage qui était à Saint-Pierre. Le Bernin a laissé un portrait très expressif (fig. 4) de l'acheteur de ses premiers groupes sculptés comme *Apollon et Daphné*.

Outre ces entreprises d'ordre temporel, Paul V se préoccupa du bien-être spirituel et social des Romains. Il fit réparer les anciens aqueducs, construire de nouvelles fontaines et dégager les rues de la cité médiévale comme l'avait fait Sixte V vingt-cinq ans auparavant. Ses armes, un aigle posé sur un dragon, sont visibles partout à Rome. Plus tard au cours de son règne, Paul V prévit la décoration chargée du plafond de la loge de la Bénédiction, au-dessus de l'entrée de Saint-Pierre, pour représenter des scènes de la vie du saint patron. Il confia la réalisation du projet à Giovanni Lanfranco, jeune élève des Carracci originaire de Parme, dont nous connaissons les dessins grâce aux gravures qu'en fit faire son fils[5]. La réalisation de l'œuvre fut toutefois remise en question par la mort du pape.

Grégoire XV Ludovisi (pape de 1621 à 1623) naquit à Bologne, où il fut brièvement cardinal archevêque. Devenu pape, il fit venir à Rome des artistes de sa ville natale. Outre le Guerchin qui peignit le gigantesque retable *Sainte Pétronille* pour Saint-Pierre[6], ainsi que les fresques du casino Ludovisi, le Guide et le Dominiquin furent rappelés à Rome. Tous deux firent des portraits du pontife et reçurent par la suite des commandes importantes pour la réalisation de retables ailleurs dans la ville. Le cardinal Ludovico Ludovisi commanda au Guide pour l'année jubilaire 1625 le retable *La Trinité* de l'église de la Trinité-des-Pèlerins, et le Dominiquin exécuta la grande peinture murale à l'huile *Le Martyre de saint Sébastien* pour Saint-Pierre (retirée en 1736 et remplacée par une copie en mosaïque). Nommé architecte du pape sous le pontificat de Grégoire XV, le Dominiquin dressa des plans pour l'intérieur du casino Ludovisi et la façade de l'église théatine Saint-André-de-la-Vallée[7], où il réalisa son chef-d'œuvre, les fresques sur la vie de saint André. De nouveau, son rival Lanfranco se vit confier la réalisation des fresques de la coupole, qui demeurèrent un mo-

dèle du genre jusqu'à la fin du siècle.

Le buste de Grégoire XV (cat. n° 13) par le Bernin reflète le caractère méditatif de l'homme, qui fut formé chez les jésuites. Malgré son court règne, il réussit à créer la Congrégation de la Propagande (chargée des missions) et, en 1622, il fit canoniser quatre Espagnols – Ignace de Loyola, fondateur de la compagnie de Jésus; Thérèse de Jésus, réformatrice du Carmel; François Xavier, qui dirigea les missions en Extrême-Orient; et Isidore Agricola – en plus de Philippe Neri, fondateur de l'Oratoire italien. Les événements de la vie de ces saints fournirent le sujet de nombreux retables. Dès 1626, le cardinal Ludovisi posa la première pierre de l'église dédiée à saint Ignace, que l'Algarde décora d'une frise de festons, de putti et des armes des Ludovisi.

À la même époque, monseigneur Giovanni Battista Agucchi, ancien secrétaire du cardinal Aldobrandini, puis du pape Grégoire, écrivit un traité de la peinture dans lequel il défendait le classicisme.

Le trône pontifical revint à Urbain VIII Barberini (pape de 1623 à 1644), auquel on attribue ces paroles célèbres : « Vous êtes chanceux, Cavalier, que Maffeo Barberini soit pape, mais notre chance est encore plus grande, puisque le cavalier Bernin vit à l'époque de notre pontificat. » De fait, le sculpteur se vit confier la direction de la fonderie du pape, qui lui commanda l'immense baldaquin en bronze, impudemment orné des emblèmes de la famille Barberini. Ce baldaquin devait abriter l'autel papal de Saint-Pierre érigé directement sur la tombe du saint (fig. 5). À la mort de Carlo Maderno en 1629, le Bernin fut nommé architecte de la Cour et de l'État, et architecte de la Révérende Fabrique de Saint-Pierre de Rome, responsable de la construction et de la décoration de la basilique. Le Bernin demeura le maître virtuel de la production artistique à Rome jusqu'à sa mort, exception faite des brèves années de disgrâce sous le pontificat Pamphilj. Heureusement, son génie et ses talents d'organisateur étaient à la hauteur d'un tel rôle.

Maffeo Barberini avait la réputation d'un érudit. Dès le début de son règne, il visita la bibliothèque du Vatican, dont il confia la direction au cardinal Francesco, puis à son frère le cardinal Antonio Barberini. Tous deux avaient été promus cardinaux peu après son intronisation. À sa demande, on fit l'inventaire des manuscrits précieux que contenait la bibliothèque et les archives furent transférées à une administration distincte. La direction de sa bibliothèque personnelle, qui était considérable, fut confiée à l'érudit allemand Lucas Holstenius et d'autres savants y eurent accès. Urbain VIII s'intéressa également de près à l'université, y attira des professeurs renom-

5
Baldaquin, conçu par le Bernin
gravure anonyme du XVIIe siècle
Metropolitan Museum of Art,
New York (45.82.2 [39])

més et fit construire pour elle des édifices.

En novembre 1626, le souverain pontife consacra solennellement la basilique Saint-Pierre (voir cat. n° 48). Urbain VIII porta son attention à la décoration de la basilique, commandant des retables où l'on discerne sa prédilection, de même que celle du cardinal Francesco, pour des artistes français comme Vouet, Valentin et Poussin (voir cat. nos 7, 8 et 9) qui travaillaient alors à Rome. Les artistes bolonais protégés par Paul V et Grégoire XV

6
Agostino Tassi
*Le pape Urbain VIII accordant
la préfecture de Rome à son neveu,
Taddeo Barberini*
dessin, Musée des beaux-arts
de l'Ontario, Toronto (Inv. 69/34)

furent délaissés en faveur d'une nouvelle génération d'artistes italiens, dont Pierre de
Cortone et Andrea Sacchi. Le premier est
l'auteur de fresques remarquables sur la vie de
sainte Bibiane dans l'église de ce nom, restaurée par le Bernin (voir cat. n° 16). À Saint-
Pierre, il peignit l'immense retable *La Trinité*
pour la chapelle du Saint-Sacrement et fit des
cartons pour la mosaïque du plafond. Pour sa
part, Sacchi réalisa l'un de ses premiers chefs-
d'œuvre, *Saint Grégoire et le Miracle du corporal*
(cat. n° 6) et il exécuta par la suite des peintures pour l'extérieur des piliers de la croisée du
transept, où des autels étaient dédiés aux reliques les plus importantes de l'église : le voile
de sainte Véronique, la lance de saint Longin,
la tête de saint André et un fragment de la
vraie croix rapporté de Jérusalem par sainte
Hélène, mère de l'empereur Constantin, fondateur de l'ancienne basilique Saint-Pierre.

Pour les niches aménagées à l'intérieur des piliers, le Bernin fit exécuter quatre grandes statues en marbre des saints, réalisant lui-même
celle de saint Longin. Il conçut également les
balcons au-dessus des niches où les reliques
étaient exposées à certaines occasions spéciales[8]. À la demande d'Urbain VIII, le sculpteur
devait également réaliser le tombeau du pape
(fig. 13 et cat. n° 17) et celui de la comtesse
Mathilde de Toscane, dont les restes furent
transférés dans la basilique en 1634.

Dans la publication *Aedes Barberinae ad
Quirinalem* (1642), Girolamo Teti a décrit la vie
fastueuse au palais Barberini, où résidaient les
neveux du pape le cardinal Antonio Barberini
et son frère Taddeo Barberini, préfet de Rome
(voir fig. 6). Commencé par Carlo Maderno
et achevé par le Bernin avec l'aide de Borromini[9], le palais fut décoré des fresques de
Pierre de Cortone et d'Andrea Sacchi. Ces
derniers suivirent un programme iconographique conçu par Francesco Bracciolini, figurant la *Divine Providence* et la *Divine Sagesse*.
Comme le Bernin dans sa décoration du baldaquin, ils firent une grande place aux emblèmes de la famille Barberini : le soleil, les
abeilles et le laurier. Cortone qui, dans sa
composition pour le vaste plafond du grand
salon (voir fig. 7), avait utilisé une architecture
en trompe-l'œil pour dilater l'espace de la salle
prolongé dans un ciel simulé, représenta pour
la première fois dans l'histoire de la décoration baroque des plafonds, un espace cohérent
habité d'une myriade de figures peintes. Le
continuum spatial devait commencer sur les
murs, décorés de fresques représentant les
épisodes de la vie d'Urbain VIII (voir fig. 8 et
cat. n°s 46 à 49 pour l'histoire des tapisseries
sur le sujet), avant de s'élever vers le plafond
où les armes des Barberini portent une triple
couronne : la tiare papale, les lauriers du poète
et la couronne de l'immortalité en forme
d'étoile[10]. Même si des emblèmes familiaux
avaient déjà été intégrés dans des ornements

7

Pierre de Cortone
*Esquisse d'une décoration
de plafond au palais Barberini*
Musée des beaux-arts du Canada,
Ottawa (Acq. 6134)

décoratifs, on n'avait jamais rien vu d'aussi ostensiblement profane que cette apothéose de la famille Barberini.

Les tendances du haut baroque furent établies dans le palais Barberini. On y reçut des écrivains et des érudits comme le poète anglais John Milton, et des opéras furent donnés dans le théâtre du palais pendant le carnaval. On a dit qu'il régnait alors une atmosphère profane à Rome, mais ce fut également une époque éclairée. Les académies littéraires, scientifiques et artistiques florissaient. Bien que Galilée fût forcé de se rétracter au cours de son procès à Rome en 1633, il put néanmoins rallier des sympathisants. Il y eut également un regain d'intérêt pour l'Antiquité. Cassiano dal Pozzo, secrétaire du cardinal

Francesco Barberini, commanda des dessins reproduisant les œuvres antiques de Rome; et c'est à sa demande que Poussin peignit la série des *Sept Sacrements*. Leur caractère solennel et sobre contraste fortement avec l'art grandiloquent caractéristique de cette époque. Un grand nombre d'artistes du Nord vinrent également à Rome; ils s'intéressaient vivement à la peinture de paysages et n'hésitèrent pas à introduire des monuments romains dans leurs œuvres. Ils ne pouvaient aspirer à des commandes importantes pour la décoration d'églises ou de palais, mais leurs tableaux de cabinet étaient recherchés des princes cardinaux comme les frères Sacchetti et Guido Bentivoglio.

Après la mort d'Urbain VIII, un Pamphilj

8

Lazzaro Baldi
*Dessin pour une tapisserie
figurant le pape Urbain VIII
recevant une tablette
d'un personnage féminin*
Musée des beaux-arts du Canada,
Ottawa (Acq. 281)

fut élu pape et prit le nom d'Innocent X (pape de 1644 à 1655). On assista de nouveau à un renversement des alliances en faveur de l'Espagne. Les Barberini furent accusés d'avoir mené une vie luxueuse à l'excès et de népotisme outrancier. Ils s'exilèrent en France et tout leur entourage tomba en disgrâce. Innocent X désigna le fils de son frère Pamphilo et d'Olimpia Maidalchini-Pamphilj, Camillo, comme cardinal-neveu, mais ce dernier défroqua pour épouser l'héritière des Aldobrandini, et les époux durent quitter Rome jusqu'à la naissance de leur fils, qui les fit rentrer dans les bonnes grâces du pape. À la demande de Camillo, le sculpteur bolonais l'Algarde vit à la construction de la villa Belrespiro sur le Janicule, décorant l'intérieur de magnifiques reliefs stuqués relatant les prouesses d'Hercule. La disgrâce momentanée du Bernin permit à l'Algarde de manifester son talent dans de nombreuses commandes qu'il exécuta pour le pape. Parmi celles-ci, la principale est la sculpture en bronze du pontife, plus grande que nature, réalisée pour le palais des Conservateurs. L'Algarde exécuta également des bustes du pontife et de sa famille; celui d'Olimpia Maidalchini étant tout à fait remarquable. À la même époque, l'Algarde réalisa deux commandes pour Saint-Pierre : le grand relief de marbre pour l'autel de saint Léon le Grand, et le tombeau du pape Léon XI – qui n'avait régné qu'un mois en 1605.

Au palais de la place Navone qu'Innocent X avait occupé lorsqu'il était cardinal, Borromini ajouta une longue galerie, au plafond de laquelle Pierre de Cortone peignit des scènes de l'*Énéide* associant la famille Pamphilj au fondateur de Rome. L'église Sainte-Agnès, adjacente au palais (voir fig. 19 et cat. n° 27), fut remodelée et le tombeau du souverain pontife y fut placé. Par ailleurs, le Bernin, rentré en grâce, créa pour la place Navone, dominant l'ancien stade de Domitien, une œuvre brillante, la fontaine des Quatre-Fleuves (voir cat. n° 26), pour atténuer la forme oblongue de la place.

Innocent X confia à Borromini la responsabilité de remodeler la basilique Saint-Jean-de-Latran pour l'année sainte 1650. La façade et la nef de l'église prirent donc une apparence tout à fait contemporaine grâce à la décoration inventive typique des intérieurs de Borromini. Deux autres importantes décorations d'églises datent du pontificat Pamphilj; l'une sculpturale, l'autre à fresque, chacune comportant une part d'illusionnisme et anticipant la réaction émotive du spectateur. Citons d'abord la décoration très théâtrale du Bernin pour la chapelle du cardinal Cornaro de l'église Sainte-Marie-de-la-Victoire où l'artiste plaça, au-dessus de l'autel, un vaste groupe en marbre figurant l'extase de sainte Thérèse, qui venait d'être canonisée. Bien que la sculpture, illuminée par un puits de lumière caché, soit le centre d'attention, le Bernin tire profit des murs où les bustes des membres de la famille Cornaro contemplent la scène comme s'ils étaient dans les loges d'un théâtre. Des fresques au plafond et des incrustations en marbre sur le sol complètent l'illusion spatiale. Par ailleurs, les fresques de la Chiesa Nuova par Pierre de Cortone présentent une progression spatiale similaire, depuis l'*Assomption de la Vierge*, dans l'abside, jusqu'à la sphère céleste de la *Trinité*, dans la coupole.

L'événement qui marqua le début du pontificat d'Alexandre VII Chigi (pape de 1655 à 1667; voir fig. 9) fut la réception offerte à Rome en l'honneur de la reine Christine de Suède, après son abdication, en 1654, et sa conversion au catholicisme. La reine Christine s'établit en permanence au palais Riario à partir de 1659, y installant sa bibliothèque et une importante collection de peintures de la Renaissance rassemblée par Rodolphe II. Elle y réunit les artistes et les intellectuels les plus célèbres de son temps. Le pontificat d'Alexandre VII marqua aussi la rentrée du Bernin. Un certain nombre d'importantes commandes pour Saint-Pierre remontent à cette période[11]. En 1656, le Bernin entreprit la construction de l'énorme colonnade qui entoure la place devant la basilique (voir fig. 10 et cat. n° 37). Il raffina, au fil des ans, son dessin pour la chaire de saint Pierre, aussi appelée *Cathedra Petri* (voir cat. n° 29). À cette époque, le Bernin conçut aussi des crucifix et des chandeliers aux armes des Chigi pour orner les autels de Saint-Pierre (voir cat. n°s 24 et 25). Alexandre VII persuada le Bernin d'adapter ses plans d'une statue de Constantin, qui avait été commandée originellement par Innocent X et qui devait être placée à l'intérieur de la basilique, au pied de la Scala Regia, récemment terminée (voir cat. n° 30). L'artiste y arriva en plaçant une immense et fausse tenture derrière le groupe équestre. Il exécuta aussi le tombeau d'Alexandre VII, sur lequel des figures allégoriques de la Charité et de la Vérité contrastent avec le riche marbre rose d'une draperie sculp-

9

10

tée, et soulevée par un squelette en bronze doré.

Le Bernin avait sculpté les statues de marbre de *Daniel* (1655–1657) et d'*Habacuc* (1655–1661; voir cat. nos 21 et 22) pour la chapelle Chigi de Sainte-Marie-du-Peuple et il exécuta les statues de la *Madeleine* et de *Saint Jérôme* (1661–1663) pour la chapelle de cette même famille à la cathédrale de Sienne. Alexandre VII portait un vif intérêt à l'université romaine, la Sapienza, à laquelle il légua la bibliothèque Alexandrine. L'événement le plus marquant de son pontificat, à cet égard, fut la consécration, en 1660, de l'église Saint-Yves dessinée par Borromini et commencée sous Urbain VIII, mais dont la décoration porte clairement les *monti* et les étoiles des Chigi[12]. À cette même époque, le Bernin conçut trois églises selon un plan central, à Rome, à Ariccia et à Castel Gandolfo. La plus importante commande d'Alexandre VII dans le domaine de la

peinture fut les fresques de la galerie du palais du Quirinal (1656–1657). Pierre de Cortone y dirigea une foule d'artistes, dont Ciro Ferri, Mola, Lazzaro Baldi, Grimaldi, Gaspard Dughet et les deux Cortese, qui peignirent des scènes de l'Ancien Testament[13]. Alexandre VII fit aussi décorer le palais d'été, à Castel Gandolfo. Son neveu, le cardinal Flavio Chigi, acheta à la place des Saints-Apôtres, un palais dont le Bernin dessina la façade caractérisée par un ordre colossal de pilastres; mais c'est à son casino du jardin des Quatre-Fontaines, qu'il conserva sa collection de *bozzetti* du Bernin (voir cat. nos 17, 21 et 22).

Giulio Rospigliosi, qui prit le nom de Clément IX (pape de 1667 à 1669; voir fig. 11 et cat. n° 12), avait eu une brillante carrière; il avait fait ses débuts dans l'entourage des Barberini et c'est dans le palais de ces derniers que ses drames furent mis en musique et joués. En 1644, il fut nommé nonce en Espagne, où il resta neuf ans, puis il devint secrétaire d'État sous Alexandre VII. Outre sa virtuosité littéraire, il s'intéressait à l'art et visita la collection de la reine Christine en 1668. Il chargea le Bernin de dessiner les anges du pont Saint-Ange, dont la plupart furent exécutés par ses élèves; on en voit une petite image sur une médaille de l'exposition (cat. n° 32). Les ornements Rospigliosi présentés ici (cat. nᵒˢ 41 et 42) sont ornés de délicats motifs décoratifs, caractéristiques de cette période. En peinture, les formes devinrent aussi plus délicates et la palette plus claire et on observa un changement similaire en sculpture, comme on peut le constater dans l'œuvre de Melchiore Caffà, par exemple le relief de sainte Catherine de l'église Sainte-Catherine-de-Sienne à Rome. Parmi les cardinaux créés par Clément IX, il y eut le Florentin Léopold de Médicis, l'un des plus grands collectionneurs du siècle, qui correspondait assidûment avec ses agents afin d'acheter quantité de pierres précieuses, de pièces de monnaie et de dessins, sans compter les peintures et les sculptures que recherchaient traditionnellement les collectionneurs. Il fut chargé de la restauration de l'église romaine des Saints-Dominique-et-Sixte et il engagea les spécialistes bolonais de la *quadratura*, Domenico Maria Canuti et Enrico Hoffner, pour exécuter la fresque du plafond, *L'Apothéose de saint Dominique* (1674–1675).

Emilio Altieri fut élu pape à l'âge de 80 ans et prit le nom de Clément X (pape de 1670 à 1676; voir cat. nᵒˢ 33 et 34) en l'honneur de son prédécesseur. Il adopta comme neveu le cardinal Paluzzi degli Albertoni, qui lui était apparenté par alliance, et qui prit le nom d'Altieri. Le cardinal Altieri agrandit de beaucoup le palais familial près du Gesù, et commanda des fresques pour célébrer la Rome ancienne et la Rome catholique, à Canuti et à Maratta. Le plafond de Maratta, *Le Triomphe de la Clémence*, jeu de mots sur le nom du pontife, ne constitue qu'une partie de la décoration beau-

coup plus vaste que l'artiste avait prévue pour le grand salon d'après un programme conçu par le biographe G.P. Bellori[14]. La décoration contemporaine du Gesù par Giovanni Battista Gaulli se composait d'un somptueux assortiment de fresques, de nuages et d'anges en stuc, et de caissons dorés. La scène de la voûte, l'*Adoration du nom de Jésus*, est un triomphe de la perspective aérienne qui met en contraste des plages de lumière brillante et des plages d'ombre profonde. Comme dans la chaire de saint Pierre du Bernin, les anges et les nuages de stuc s'échappent du cadre, et projettent sur les caissons une ombre peinte qui renforce l'illusion d'optique. Gaulli exécuta l'ensemble de ces fresques pour l'église en préparation de l'année sainte 1675, au cours de laquelle Rome reçut 280 496 pèlerins selon les documents de l'époque. Le tabernacle de la chapelle du Saint-Sacrement, à Saint-Pierre, fut aussi commandé au Bernin pour ces célébrations. L'autel de la bienheureuse Ludovica Albertoni (1671–1674)[15] fut une autre commande éminente donnée au Bernin à la même époque; le pontife venait d'approuver le culte de cette personne, membre de la famille de son neveu adoptif.

Le règne d'Innocent XI Odescalchi (pape de 1676 à 1689, voir cat. n° 35) fut marqué par l'avance des Turcs sur Vienne et les efforts qu'il déploya pour former une alliance des princes chrétiens afin de repousser les envahisseurs. Son initiative fut contrecarrée par l'absolutisme intransigeant de Louis XIV. Le pape dut restreindre ses dépenses, éviter le népotisme et exiger une réforme du comportement public des dignitaires. Son mécénat se limita essentiellement à l'achèvement des projets déjà en cours. Toutefois, son secrétaire d'État, le cardinal Alderano Cybo, fit construire la chapelle de sa famille à Sainte-Marie-du-Peuple. Conçue par Carlo Fontana, elle reçut une riche décoration en marbre. Cybo commanda aussi à Carlo Maratta le célèbre retable *La Vierge Immaculée et les saints Grégoire, Jean Chrysostome, Jean l'Évangéliste et Augustin*[16]. Fontana et Maratta, qui furent aussi les artistes préférés d'Innocent XII Pignatelli (pape de 1691 à 1700), collaborèrent notamment à l'exécution du baptistère de Saint-Pierre. Cette période vit aussi l'achèvement de l'une des décorations d'église les plus chargées du siècle, celle de Fra Andrea Pozzo, pour Saint-Ignace. Cet artiste avait peint sur la voûte de la nef *La Gloire de saint Ignace* placée dans une perspective architecturale nettement fuyante où figuraient les protagonistes de la mission jésuite. C'était une sorte de manifeste condensé du style baroque tardif triomphant qui fut exporté dans toute l'Europe catholique et éventuellement au Nouveau Monde.

Ainsi s'achevait le siècle qui avait vu le développement et l'évolution de l'art baroque, intimement liés à l'expression du renouveau de la ferveur religieuse. Des contributions notables avaient été apportées à l'architecture, à la sculpture, à la peinture et aux arts décoratifs. Tous ces artistes de l'époque baroque ne changèrent pas seulement l'apparence extérieure de Rome, mais ils créèrent une nouvelle architecture d'églises suivant un plan ovale. Ils apportèrent à la décoration intérieure, un aspect plus monumental au baldaquin et décorèrent l'autel de rondes-bosses ou retable en relief, de marbre. L'iconographie nouvelle des retables peints sollicitait la réaction émotive du spectateur, et les fresques en trompe-l'œil prolongeaient l'espace temporel des fidèles jusqu'à un espace céleste. Ils conçurent des ornements et des objets liturgiques qui devaient servir aux rites. Par-dessus tout, ce fut le sens de l'unité, réalisé par la combinaison de ces éléments et la relation consciente entre eux, qui engendrèrent un mode d'expression total, purement baroque.

Notes

1. Miles L. Chappell et Chandler W. Kirwin, « A Petrine Triumph: The Decoration of the Navi Piccole in San Pietro under Clement VIII », *Storia dell'Arte*, vol. 21, 1974, p. 119–170.

2. K. Herrman-Fiore, « Giovanni Alberti, Kunst und Wissenschaft der Quadratur *Eine Allegorie* in der Sala Clementina der Vatikan », *Mitteilungen des Kunsthistorischen Institutes in Florenz*, vol. XXII, 1978, p. 61–84; et Fabrizio Mancinelli, « Mostra dei Restauri in Vaticano », *Bollettino dei Musei e Gallerie Pontificie*, vol. IV, 1983, p. 229–234.

3. A. Nava Cellini, « Stefano Maderno, Francesco Vanni e Guido Reni a Santa Cecilia in Trastevere », *Paragone*, n° 227, 1969, p. 18–41.

4. M.C. Dorati, « Gli scultori della Cappella Paolina in Sta Maria Maggiore », *Commentari*, vol. XVIII, 1967, p. 231–260; S. Pressouyre, « Sur la sculpture à Rome autour de 1600 », *Revue de l'Art*, vol. 28, 1975, p. 62–77; et A. Herz « The Sistine and Pauline Tombs. Documents of the Counter Reformation », *Storia dell'Arte*, vol. 47, 1981, p. 241–261.

5. E. Schleier, « Les projets de Lanfranco pour le décor de la Sala Regia au Quirinal et pour la loge des Bénédictions à Saint-Pierre », *Revue de l'Art*, vol. 7–10, 1969–1971, p. 40–67.

6. Leo Steinberg, « Guercino's Saint Petronilla », *Studies in Italian Art and Architecture 15th through 18th centuries*, Cambridge (Mass.), 1980, p. 207–234.

7. Richard Spear, *Domenichino*, New Haven, 1982, vol. I, p. 98, repr. vol. II, fig. 405–407 et 412; et John Pope-Hennessy, *The Drawings of Domenichino in the Collection of His Majesty the King at Windsor Castle*, Phaidon, Londres, 1948, p. 121, n°s 1735–1739.

8. Irving Lavin, *Bernini and the Crossing of Saint Peter's*, New York, 1968.

9. Anthony Blunt, « The Palazzo Barberini: the Contributions of Maderno, Bernini and Pietro da Cortona », *Journal of the Warburg and Courtauld Institutes*, vol. XXI, 1958, p. 256–287.

10. Walter Vitzthum, « A Comment on the Iconography of Pietro da Cortona's Barberini Ceiling », *The Burlington Magazine*, vol. CIII, 1961, p. 427–433.

11. Giovanni Morello, « Bernini e i lavori a S. Pietro nel 'diario' di Alessandro VII », *Bernini in Vaticano*, Rome, 1981, p. 321–340.

12. John Beldon Scott, « S. Ivo alla Sapienza and Borromini's Symbolic Language », *Journal of the Society of Architectural Historians*, vol. XLI, 1982, p. 294–317.

13. Norbert Wibiral, « Contributi alle ricerche sul Cortonismo in Roma: I pittori della Galleria di Alessandro VII nel Palazzo del Quirinale », *Bollettino d'Arte*, vol. XLV, 1960, p. 123–165; et S. Jacob, « Pierre de Cortone et la décoration de la galerie d'Alexandre VII au Quirinal », *Revue de l'Art*, vol. II, 1971, p. 42–54.

14. Jennifer Montagu, « Bellori, Maratti and the Palazzo Altieri », *Journal of the Warburg and Courtauld Institutes*, vol. 41, 1978, p. 334–340.

15. Christopher M.S. Johns, « Some Observations on Collaboration and Patronage in the Altieri Chapel, San Francesco a Ripa: Bernini and Gaulli », *Storia dell'Arte*, vol. 50, 1984, p. 43–47.

16. H. Hager, « La Cappella del Cardinale Alderano Cybo in S. Maria del Popolo », *Commentari*, vol. XXV, 1974, p. 47–61.

MARC WORSDALE

Jeux de mots sans paroles dans l'œuvre du Bernin et de ses contemporains

Les artistes représentés dans cette exposition pouvaient supposer de leur public une certaine familiarité avec les thèmes traditionnels dont leurs œuvres pouvaient comporté autant d'interprétations nouvelles ou de variations originales. La présente introduction a pour objet de dégager le lien étroit existant entre des objets à première vue disparates, mais dont chacun traduit un mode de pensée cohérent. En préparant ainsi son palais pour le vin capiteux des idées souvent quelque peu surprenantes voire extravagantes dont raffolaient artistes et mécènes, l'on pourra aussi prendre part à ce qu'ils entendaient, tels les œnologues qui se communiquent leurs sensations gustatives et élaborent des définitions par le truchement de comparaisons. Le langage de l'art exprime les idées en parlant à nos yeux; le fin mot est donc aux œuvres elles-mêmes.

Une pensée paradoxale tout à fait représentative, dont l'origine remonte à Horace et qui s'est exprimée sous de multiples configurations, consiste à affirmer que la longévité du papier est supérieure à celle du bronze. Cette pensée revêt notamment la forme littéraire dans les deux sonnets servant de préface à un livre de Bonanni consacré aux médailles papales qui illustrent l'histoire de la construction de la basilique Saint-Pierre[1]. La notion que même ces témoins métalliques de l'œuvre des papes n'échappent pas à l'insatiable voracité du Temps et que leur souvenir sera mieux préservé par le papier est paraphrasée ailleurs en prose[2]. La gravure qui sert de frontispice à l'ouvrage de Bonanni en est l'expression visuelle elliptique. Elle montre la Renommée qui, du fait même qu'elle est imprimée sur la page, proclame mieux que ne le font les médailles, voire l'édifice lui-même, que « grande sera la gloire de cette demeure le dernier jour[3] ».

La gravure dessinée par le Bernin (fig. 12) pour illustrer la médaille coulée en l'honneur d'Alexandre VII et qui montre Androclès et le lion (cat. n° 28), également dessinée par le Bernin, fait écho au dicton d'Horace. Elle comporte plusieurs niveaux d'illusions de perspective, ce qui donne un relief saisissant à la nature même du support qu'est le papier, survivant au métal le plus résistant[4].

Les associations que pouvait évoquer le papier en faisaient un élément privilégié dans la décoration des monuments funéraires du XVIIe siècle. Dans le tombeau d'Urbain VIII du Bernin à Saint-Pierre de Rome (fig. 13, voir cat. n° 17), de telles associations et d'autres pensées s'allient dans une fusion d'une grande originalité. Le nom du pape est inscrit en lettres d'or sur les pages noires d'un livre fait en pierre que l'on appelait de touche, témoignant ainsi, à juste titre, de l'incorruptible pureté de la réputation d'Urbain. Le fait que les pages

29

12

13

12
Giovanni Battista Bonacina
*Page de dédicace avec
une médaille à l'effigie
d'Alexandre VII et figurant
Androclès et le lion*
gravure d'après
un dessin du Bernin
Albertina, Vienne

13
Le tombeau d'Urbain VIII,
conçu par le Bernin,
gravure anonyme
Bibliothèque Hertziana, Rome

soient noires au lieu de blanches, contrairement à toute attente, invite à porter le regard au-delà des apparences pour se rendre compte que l'obscurité est claire, puisque la mort du Christ a donné lieu à la Résurrection.

Livre et plume sont tenus par un squelette de bronze sombre paré d'ailes dorées. Ce ne sont point les ailes hideuses d'une chauve-souris, mais plutôt celles, angéliques, de l'âme avec laquelle, à la fin du Temps, la dépouille sera recomposée afin de prendre son envol vers les cieux, pour y demeurer avec Dieu à tout jamais. Nous associons les ailes au Temps – qui vole lui aussi. Leur attribution ici à la mort en transforme la signification, tout comme le squelette ailleurs dans l'œuvre du Bernin arrache au Temps son sablier et sa faux, faisant ainsi des armes de destruction des outils de récolte[5]. Car tout ce qui entre en contact avec la mort doit mourir; par conséquent, quand l'heure de mourir viendra pour le Temps, le moment de mourir sera aussi venu pour la mort. Alors les morts ne le seront plus.

Le scénario que jouent les personnages sous la direction du Bernin dans le tombeau d'Urbain VIII, anticipe l'accomplissement de cette attente. L'événement se situe dans une dimension temporelle qui équivaut au futur-parfait continu, faisant écho au jeu des temps du passage de l'évangile lu aux obsèques des papes et à l'occasion de la commémoration de Tous les Défunts :

> ... En vérité, en vérité je vous le dis, l'heure vient et elle est déjà venue, où les morts entendront la voix du Fils de Dieu, et ceux qui l'auront entendue vivront.
>
> Ne vous étonnez pas de cela; car l'heure vient où tous ceux qui sont dans les sépulcres entendront sa voix, et en sortiront. Ceux qui auront fait le bien ressusciteront pour la vie... [6]

En attendant que le temps soit accompli, les vertus d'Urbain sont en deuil; car la Justice, en bas à sa gauche, attend que sa récompense lui soit remise dans sa plénitude, tandis que la Charité, à sa droite est privée de son soutien. Mais en dépit de son veuvage, la Charité a encore le courage de sourire à ses enfants orphelins.

C'est, littéralement, en vertu de sa mort que le nom du pape s'inscrit dans le livre de la vie, car l'acte de mourir représentait le couronnement suprême d'une vie consacrée à la conquête de lauriers durables, en particulier ceux de la poésie[7]. Puisqu'il a vécu dans la vertu, il vit maintenant dans les mémoires et vivra dans la gloire[8]. Sa renommée est mieux assurée par l'inscription de son nom sur le papier que par sa commémoration dans une effigie de bronze.

Le contraste entre la Justice et la Charité en marbre et la statue en bronze du pape achève de réaliser une pensée à l'intérieur de la pensée, l'effigie se révélant, typologiquement, comme une sculpture dans la sculpture. Le Bernin crée ainsi une logique interne où le squelette revêt une signification paradoxale en accord avec les dogmes de la foi. En effet, si les vertus sont en deuil, c'est parce que le pape est mort; cela étant, le squelette ne peut avoir pour rôle ultime d'enlever la vie. C'est ainsi que la première impression mortuaire qu'évoque le squelette par contraste avec la présence vivante de l'effigie d'Urbain vu tel qu'il était au cours de sa vie se trouve complètement renversée. Cette vie ne semble rien à côté de celle que donne la mort dans l'au-delà, où les vertus aspirent retourner pour être réunies avec leur héros et champion[9].

Urbain VIII est représenté comme ayant rempli avec charité et justice l'office majestueux de souverain pontife. Il est paré des vêtements sacerdotaux qui symbolisaient et assuraient la perception de cette dignité. Tout comme les détails décoratifs de ces vêtements font partie intégrante du monument, de même celui-ci entre dans la composition d'une entité plus vaste, à savoir la basilique prise dans son ensemble. Saint-Pierre constitue sans aucun doute une unité parfaitement équilibrée dont chaque élément, du plus petit au plus grand, concourt à créer l'expression sur terre de l'image idéale du monde céleste. Image qui se manifeste pleinement lorsque l'action, à laquelle la basilique devait servir de cadre, était célébrée par le pontife et tous les assistants dont la présence était nécessaire, soit un échantillon représentatif de la cité tout entière (voir fig. 14)[10].

Dans cette image céleste entrent des œuvres d'art qui se caractérisent par la diversité de leurs échelles et leur unité de qualité, ainsi qu'en témoigne, sous une forme très condensée, la médaille qui illustre la canonisation de saint François de Sales (cat. n° 31). Le détail du devant d'autel montre l'attention scrupuleuse que les grands artistes portaient à chaque niveau de l'élaboration de l'œuvre. En effet, la part des œuvres dites « mineures » dans leur production totale, traduit la largeur de vision qui est le propre des grands artistes. Autant d'originalité de pensée et de raffinement dans la conception peuvent également être dispensées dans une œuvre aussi infime que la rose d'or de Paul V (fig. 15), de même que dans celle conçue par le Bernin (fig. 16); pour de plus de détails à leur sujet, voir cat. n° 45.

Un devant d'autel similaire figure dans une autre médaille, pour laquelle le Bernin avait fourni le dessin, et qui représente sa conception de la *Cathedra Petri* ou chaire de saint Pierre (cat. n° 29). Un autre encore – celui de Saint-Jean-de-Latran – aux armes d'Alexandre VII (cat. n° 45) témoigne, dans les volutes, de ce côté à la fois massif et audacieux, reflet de ce caractère que le Bernin qualifiait de « splendeur d'une idée nette, claire et noble[11] ». Essentiellement simple et empreint

d'une vigoureuse vitalité, le dessin exprime avec éloquence le symbolisme de l'autel qu'il orne.

Dans certains cas, l'intervention d'artistes tels que le Bernin et Borromini est avérée par des documents, notamment en ce qui concerne le dessin de revêtements des pilastres[12] (fig. 17) qui concourent à transformer la qualité architecturale des églises qu'ils embellissent dans la mesure où ils animent la froide solidité de la structure immobile par la douce chaleur de leur texture et de leurs teintes. D'autres projets de l'Algarde, du Bernin, de Borromini, de Pierre de Cortone et de Romanelli, dont on trouve trace dans des documents ou des dessins, ont péri ou restent encore à identifier[13]. De même, les attributions que suggèrent les qualités stylistiques d'ornements sacerdotaux tels que ceux qui

14
Le pape Alexandre VII transporté sur une civière lors de la procession de la Fête-Dieu
attribué ici à
Giovanni Maria Morandi
Musée des beaux-arts de Nancy
(Inv. 37)

15
La rose d'or de Paul V
Schatzkammer,
Kunsthistorisches Museum,
Vienne

16
Le Bernin
Dessin pour une rose d'or
École des beaux-arts, Paris
(coll. Masson, n° 36)

17
Tentures pour les pilastres
d'après un dessin attribué
ici à Francesco Borromini,
Chiesa Nuova, Rome

proviennent de l'église Sainte-Bibiane (cat. n° 40) ou des devants d'autel de la basilique Saint-Jean-de-Latran, aux armes d'Alexandre VII (cat. n° 45) et du cardinal Flavio Chigi[14], doivent encore être confrontées avec des preuves documentaires qui se manifesteront peut-être un jour.

Là où déjà le lien entre l'auteur et ses œuvres dites mineures s'avère ténu, l'appréciation de sa personnalité artistique est rendue encore plus ardue de par l'absence de cette dimension diversifiée qu'illustrent notamment les vêtements liturgiques. Cependant, en raison de leurs rapports spécifiques avec celui qui les porte ou leur donateur (qui s'en voit doublement distingué par ses armes) les vêtements donnent une certaine image des individus dont ils sont le reflet, et cela avec autant de succès que ne le fait la peinture ou la sculpture si l'on considère qu'ils représentent la projection de leur caractère sacramentel. Ayant survécu, par une heureuse exception, aux vicissitudes de l'histoire, les ornements pontificaux montrent bien à quel point le réel pouvait se rapprocher du monde idéalisé que peintures, tapisseries et sculptures (voir cat. n° 1, 4, 6, 7, 12, 13, 46, 48 et 49) ne représentaient que d'une manière illusionniste, avec, certes, l'avantage de pouvoir faire participer des êtres célestes. C'est dans le contexte d'une action sacramentelle, qui allie des gestes rituels solennels aux textes liturgiques énoncés par des compositions musicales non moins superbes, qu'il faut s'imaginer l'effet produit par les ornements pontificaux. Joints aux œuvres architecturales, aux sculptures et aux peintures, les vêtements liturgiques faisaient partie intégrante de la conception visuelle d'ensemble de l'espace sacré. La preuve en est dans leur évolution stylistique qui ne le cède en rien à celle des autres arts qu'elle précède même parfois dans la recherche de l'innovation.

Parmi les objets pour le service de l'autel figurent le crucifix et les six chandeliers (voir cat. n° 24 et 25) qui étaient aussi l'objet de la sollicitude des papes et de l'attention d'artistes comme l'Algarde[15] et le Bernin. Les accessoires essentiels de l'autel comportaient non seulement le calice et la patène, de même que les burettes pour l'eau et le vin (pour lesquelles au moins une intervention du Bernin est documentée[16]), mais aussi parfois des reliquaires.

Ceux-ci prenaient souvent la forme de bustes coulés en argent d'après des modèles fournis dans bien des cas par l'Algarde ou le Bernin[17]. Seuls quelques-uns de ces chefs-d'œuvre d'orfèvrerie ont survécu. Ceux qui n'avaient pas été refondus pour être refaçonnés (ce qui était presque toujours le cas des fontaines de table et de la vaisselle plate, de même que des braseros et des chandeliers), le furent pour financer les exactions imposées par Napoléon aux termes du traité de Tolentino à titre de rançon en échange de l'engagement – promptement rompu – de ne pas envahir les États de l'Église[18].

Que le buste de sainte Bibiane (cat. n° 16), à la différence de tant d'autres, ait pu survivre est un hasard des plus heureux, surtout en raison de son exceptionnelle beauté. Il dégage immédiatement une impression de fraîcheur qui traduit le regain d'intérêt pour le christianisme romain des premiers temps, dans lequel les artistes du XVIIe siècle trouvaient alors des valeurs intérieures qui correspondaient aux formes extérieures de l'art classique. La réconciliation entre le sacré et le profane s'est ainsi effectuée par la suppression de distinctions qui eussent été considérées erronnées. Grâce à ses qualités archéologisantes, le buste de sainte Bibiane fait naître une impression d'éloignement dans le temps, ainsi qu'un sentiment de prolongement dans le présent. (À l'instar de sainte Cécile à la fin du siècle précédent, sainte Bibiane a été littéralement exhumée.) Ce retour aux sources est également

18
L'Algarde
Dessin d'une médaille figurant
sainte Agnès et la façade
de l'église Sainte-Agnès
Musée des beaux-arts de l'Ontario,
Toronto (Inv. 69/36)

sous-tendu d'une apologétique implicite visant à démontrer la permanence du christianisme originel, en justification de la légitimité de l'évolution historique de l'Église, que d'aucuns contestaient.

Parmi le chœur des premières vierges martyres romaines dont le culte fut relancé au cours du XVIIᵉ siècle, en raison ou non de découvertes fortuites (que l'on désigne sous le nom d'inventions miraculeuses de reliques), sainte Agnès a été l'objet d'honneurs particulièrement éclatants. On espérait que l'évocation de sa pureté exemplaire mettrait un frein à l'immodestie qui s'affichait sans vergogne dans des endroits publics tels que la place Navone et que les visiteurs, émus à l'idée de se trouver à l'emplacement des lupanars, qu'elle avait sanctifiés par sa résistance héroïque aux tourments, abandonneraient les chemins de la

perdition pour la suivre dans la voie de la droiture[19].

À peine commencée, la reconstruction de l'église dédiée à sainte Agnès à la place Navone (voir fig. 18 et cat. nᵒ 27) fut l'objet d'une véritable concurrence entre les grands artistes de l'époque qui s'y succédèrent rapidement. Il en est résulté une remarquable diversité de styles représentatifs de ce qui pouvait se faire de mieux à Rome et qui soutenait la comparaison avec les plus grandes œuvres de l'Antiquité. Pour achever une chapelle palatine ayant les dimensions d'une église et destinée à sa parentèle et à toute sa maisonnée, Innocent X avait fait preuve de la magnifique largesse que l'on attendait de son office en commandant un monument profane en apparence – la célèbre fontaine du Bernin (cat. nᵒ 26). Toutefois, comme le fait apparaître l'inscription qui l'accompagne, celle-ci était plutôt destinée à nourrir l'esprit; en effet, la forme que donne le Bernin à la représentation allégorique des quatre fleuves incorpore une gradation de pensées spirituelles faisant une grande place au caractère providentiel du règne du pape.

Pour preuve du véritable discernement et de l'enthousiasme sincère qui caractérisent le mécénat du futur Alexandre VII, il suffit de penser à la fidélité avec laquelle il a su achever la chapelle familiale commencée par Raphaël pour Agostino Chigi à l'église Sainte-Marie-du-Peuple (cat. nos 21 et 22). D'une échelle certes plus modeste, la chapelle ne laissait pourtant rien à désirer sur le double plan du prestige personnel et de l'allusion cosmologique. Si les artistes ont pu, à partir de l'état naturel d'un coin du monde, façonner l'image d'un ordre idéal harmonieux que la cosmologie de l'époque percevait également dans la musique des sphères célestes, ils le devaient aussi à l'influence personnelle du poète raffiné qu'était Urbain VIII comme à l'intérêt éclairé que portait Alexandre VII aux choses de l'architecture[20]. C'est ainsi que le baldaquin au-dessus du maître-autel de Saint-Pierre (fig. 5) évoque la Jérusalem céleste descendue sur terre. La colonnade qui encercle la place (fig. 10 et cat. nº 37) étend les bras pour étreindre le ciel et le renserrer en forme d'une coupole dont la circonférence semble devenir aussi vaste que l'horizon. Le retentissement universel de la bénédiction *urbi et orbi* devient ainsi presque audible aux yeux[21].

On voit presque le son des trompettes, tant les Renommées soufflent avec ardeur dans la gravure d'après le dessin du Bernin (cat. nº 37). Une même duplication de la Renommée au-dessus de l'entrée de la Scala Regia (voir cat. nº 30) par laquelle on accède à Saint-Pierre depuis les palais apostoliques, se trouve juxtaposée au motif de sphinx (voir fig. 20). Il s'agit, semble-t-il, d'un rappel déli-

béré des associations poétiques découlant de la fonction du seuil. En effet, le sphinx rappelle que seuls les sages sachant résoudre l'énigme posée à Œdipe pourront passer en toute sécurité. Ils sont encouragés par la trompette des Renommées qui veut leur insuffler audace et hardiesse. Mais pour les indignes, le revers n'offre que pusillanimité et ignominie.

De riches exemples d'associations imaginatives sur lesquelles les artistes pouvaient broder – parfois même littéralement comme dans le cas des ornements Barberini (voir fig. 21 et cat. nº 40) où figure l'*impresa* (fig. 22) des abeilles volant en direction du laurier - abondent dans le compendium *Teatro d'Imprese* de Giovanni Ferro publié à Venise en 1623 et dédié à Maffeo Barberini, qui devait devenir le pape Urbain VIII l'année suivante. Nombre des

19

20

19
L'Algarde
Le pape Innocent X
dessin,
Académie de San Fernando,
Madrid

20
Dessus-de-porte figurant
des sphinx au palais Barberini
gravé par Alessandro Specchi,
d'après le Bernin; tiré de
Studio di Architettura Civile,
de D. De Rossi (vol. I, Rome,
1702, fol. 45)
Bibliothèque Hertziana, Rome

21
Dessin d'une broderie avec
les abeilles des Barberini
tiré de l'album Febei, Orvieto

22
Gravure de l'impresa de
Maffeo Barberini, HIC DOMUS
tiré de *Teatro d'Imprese,*
de Giovanni Ferro (Venise,
1623, vol. II, p. 72)

pensées étonnantes exprimées dans le langage figuratif de l'art comme celles que l'on peut lire sur le tombeau d'Urbain VIII trouvent un écho dans le texte de Ferro[22]. Dans le creuset de l'imagination enflammée de l'artiste, elles se fondent dans une image unique qui possède toute l'éloquence et la conviction irrésistible de la « splendeur d'une idée nette, claire et noble », « revêtue de perfection et ornée de grâce et de tendresse ».

21

22

Notes

1. F. Bonanni, *Numismata Summorum Pontificum Templi Vaticani Fabricam Indicantia...* Rome, 1715, para. 2 (v).

2. « Les médailles frappées dans toutes sortes de métaux en souvenir de vos prédécesseurs de grand renom et d'illustre mémoire, Ô Très Saint Père... voyant que tout se trouve dispersé par la voracité du temps, ou par l'envie des hommes de péché, ou par la négligence de l'ignorant, et, en même temps, les actions illustres des souverains pontifes qui y sont inscrites disparaissent... je les confie à ces pages pour que, à cause de leur plus grande permanence, on puisse connaître l'époque, et qu'existent pour l'éternité dans la mémoire des hommes les noms glorieux des souverains pontifes... » F. Bonanni, *Numismata Pontificum Romanorum quae a tempore Martini V. usque ad annum M. DC. XCIX. ... in lucem prodiere*, Rome, 1706, para. 2, (éd. orig., 1699).

3. Voir n. 1.

4. L'idée devient plus paradoxale encore dans une nouvelle version de la médaille émise en 1663 et où la monture a été indubitablement dessinée par le Bernin (voir une bordure semblable documentée de 1665 dans M. Worsdale, « Le Bernin et la France : Un "tableau de marbre" et les compositions de gravures de dévotion », *Revue de l'Art*, vol. 61, 1983, p. 64 et fig. 2). À l'intérieur de la monture, aux versos des deux moitiés, figurent des plaques de bronze imitant des feuilles de papier aux coins repliés. La même inscription fait allusion à « ces pages plus permanentes que le bronze ».

5. Voir le squelette vu en raccourci, étendu "les pieds devant", qui se relève dans le dessin du Bernin associé à un projet de monument funéraire pour le doge Giovanni Cornaro (illustré dans M. e M. Fagiolo dell'Arco, *Bernini : una introduzione al gran teatro del barocco*, Rome, 1967, scheda 148, où est appliqué l'interprétation négative habituelle). Voir aussi les chérubins, maintenant disparus, cueillant l'herbe des champs et couronnant un crâne, qui devaient faire partie à l'origine du dessin du Bernin pour la chapelle de Silva à Saint-Isidore (représenté dans une gravure de Domenico de Rossi, illustrée *ibid.*, p. 235). Le devant d'autel en marbre incrusté de la même chapelle est le premier exemple d'un modèle qui, plus tard, allait être fréquemment copié. La lumière y apparaît sous la forme de rayons émergeant en forme d'une croix de l'obscurité et chassant des nuages imités en trompe-l'œil par l'albâtre. D'autres représentations plus explicites du temps littéralement arrêté, mis aux fers, apparurent plus tard dans des œuvres comme le tombeau réalisé par Domenico Guidi pour le cardinal Lorenzo Imperiali à Saint-Augustin et le tombeau exécuté par Filippo Parodi pour Francesco Morosini à San Nicola dei Tolentini, à Venise.

6. Jean 5 : 25, 28–29. Le lien entre ce passage et l'idée qui a servi de base aux tombeaux pontificaux du Bernin et, plus particulièrement, à celui d'Alexandre VII, est plus évident en latin où le terme traduit par « sépulcre » évoque les images grandioses que l'on associe aux « monuments ».

7. L'ouvrage de Maffeo Barberini, *Poemata*, a fait l'objet de nombreuses éditions, depuis les années précédant son élection jusqu'après sa mort. Le Bernin illustra celles de 1631 et de 1638. Il a représenté les coins des gravures comme ceux d'une feuille de papier se repliant, pour montrer encore une fois comment le papier peut servir à immortaliser et à diffuser une image gravée à l'origine sur une plaque de métal.

8. D'après l'inscription figurant sur le monument élevé en souvenir du cardinal Francesco Alciato à Sainte-Marie-des-Anges qui porte la date 1580 : VIRTVTE VIXIT, MEMORIA VIVIT, GLORIA VIVET.

9. Le rôle que joue l'effigie du pape dans l'ensemble de la composition est confirmé par les vers du cardinal Rapaccioli mentionnés par F. Baldinucci, *Vita del cavaliere Gio. Lorenzo Bernini*, Florence 1682, p. 17 (cité par H. Kauffmann, *Giovanni Lorenzo Bernini, Die Figürlichen Kompositionen*, Berlin, 1970, p. 130). La Renommée elle-même nous rappelle de sécher nos larmes car, selon toute apparence, Urbain est plus vivant que jamais : « Non è morto URBANO anzi ha lasciato d'esser mortale, erano improprie del suo merito queste bassezze terrene, poichè chi vive come lui nel mondo, può pretender per giustitia il passaggio ch'egli ha fatto nel Cielo » (Bibliothèque apostolique vaticane, MS Barb. lat. 4461 « I Singulti della Fama in morte del Glorioso Pontefice Urbano VIII All'Em.ᵐᵒ et Rev.ᵐᵒ Principe Card: Franc. Barber.ⁿᵒ del Dottr. Francesco Paolo Speranza » fol. 63).

10. De nombreuses chroniques décrivent les processions conduites par les Orfanelli, suivis des Putti Letterati, puis des confréries, des ordres religieux, des avocats du consistoire, etc., selon un ordre hiérarchique rigoureusement croissant; il y avait constamment des disputes pour la préséance qui débouchaient sur des batailles en règle.

11. Voir P. Fréart de Chantelou, *Journal de voyage du cavalier Bernin en France*, Paris, 1885, p. 47, (6 juillet 1665).

12. En ce qui concerne le lien qu'on peut établir entre le Bernin et les revêtements des pilastres de Saint-Pierre, voir cat. nº 31. Quant à la responsabilité de Borromini à l'égard de tentures, encore de nos jours suspendues à la Chiesa Nuova pour la fête de saint Philippe Neri et dont les qualités formelles constituent une preuve indéfinissable, elle est implicitement confirmée par la correspondance de Virgilio Spada, qui indique aussi que Borromini a vraiment été, en fin de compte, le créateur de la chapelle Spada à San Girolamo della Carità. En effet, bien que les idées aient été élaborées par Virgilio Spada, il faillait l'intervention d'un artiste pour concevoir les détails de la décoration, et c'est en cela que consiste presque entièrement la chapelle. Les dessins de Borromini pour le sol et pour un autre devant d'autel existent toujours. Quant à l'imitation en marbre incrusté de tentures, Virgilio Spada indique son intention de réemployer le modèle de celles qui avaient été exécutées peu de temps auparavant pour la Chiesa Nuova. La similitude entre les deux est

telle qu'on ne peut douter que les tentures de la Chiesa Nuova sont celles dont parle Virgilio Spada. Leur réemploi pour la chapelle Spada donne à penser qu'elles faisaient aussi partie des travaux accomplis par Borromini sous la supervision de Virgilio Spada à l'Oratoire et qu'elles pouvaient dès lors compléter les plans spéciale- ment conçus pour le devant d'autel et le pavement parsemé de fleurs coupées. Comme le pavement, le plafond d'origine contenait une allusion obscure cette fois à la Vierge Marie représentée sous l'aspect de la constellation de la Vierge, qui, même si on ne la comprenait pas, n'en demeurait pas moins agréable à l'œil (voir le passage cité sous le titre du présent essai, publié en entier par M. Heimbürger Ravalli, *Architet- tura, Scultura e Arti Minori nel Barocco Italiano. Ricerche nell'Archivio Spada*, Florence, 1977, p. 112–113). Un détail des tentures de la Chiesa Nuova a été reproduit, sans attribution, par A. Santangelo, *Tessuti d'arte italiani dal XII al XVIII*, Milan, 1958, pl. 76, cité par M. Anda- loro dans le cat. d'exp., *Tesori d'Arte Sacra di Roma e del Lazio dal Medioevo all'Ottocento*, Rome, 1975, n° 260, où il est dit à tort que les tentures sont perdues.

13. Pour une documentation sur des motifs de broderie du Bernin, Pierre de Cortone et Romanelli, voir le cat. d'exp., *Bernini in Vaticano*, Rome, 1981, n°s 241 et 242. Quant aux liens établis entre l'Algarde et les dessins de damas, voir J. Mon- tagu, *Alessandro Algardi*, New Haven et Londres, 1985, vol. I, p. 251, n. 75.

14. Décrit mais non illustré dans le cat. d'exp., *Tesori d'Arte Sa- cra…*, Rome, 1975, n° 155. Les vêtements accessoires ainsi que les devants d'autel et les vête- ments de Sienne, dont l'un est illustré par E. Ricci, *Ricami italiani antichi e moderni*, Flo- rence, 1925, pl. XLII, ont tous rapport avec le cardinal Flavio Chigi (créé en 1657, mort en 1692).

15. Concernant les dessins pour chandeliers de l'Algarde, voir J. Montagu, *Alessandro Algardi*, New Haven et Londres, 1985, vol. I, p. 189 et 190, fig. 219.

16. Information qui a été aimable- ment fournie à l'auteur par dom Cipriano Cipriani, O.S.B. Olivet., ancien archi- viste de la Révérende Fabrique de Saint-Pierre.

17. En ce qui concerne les bustes reliquaires et les bustes portraits de saints qu'a exécutés l'Al- garde, voir J. Montagu, *Ales- sandro Algardi*, New Haven et Londres, 1985, vol. I, p. 10, vol. II, cat. L.46, 47; L. 60; 76 L.C.2; 76 C.3; 78–89 A.C.I. Pour un buste perdu de saint Eustache attribué au Bernin, voir R. Wittkower, *Gian Lo- renzo Bernini, the Sculptor of the Roman Baroque*, Londres, 1966, p. 269, cat. n° 81 (39). Quant au modèle d'une figure à mi-corps en ronde-bosse de sainte Agnès en vue du relief de la crypte de l'église située place Navone, probablement destiné égale- ment à servir pour une sculpture indépendante en ar- gent coulé, voir M. Worsdale, « Le Bernin et la France… », *Revue de l'Art*, vol. 61, 1983, p. 65 fig. 10.

18. Voir L. von Pastor, *Storia dei papi*, vol. XVI, Rome, 1934, III partie, chap. XVI.

19. Il semble qu'il n'y ait rien eu d'ironique dans la remarque se- lon laquelle la figure de sainte Agnès inspirait la dévotion, bien qu'elle fut toute nue (voir F. Titi, *Descrizione delle pitture, sculture e architetture esposte al pubblico in Roma*, Rome, 1763, p. 132).

20. La déclaration d'Alexandre VII selon laquelle il avait été dès sa jeunesse un dilettante en ma- tière d'architecture (voir G. Incisa della Rocchetta, « Gli ap- punti autobiografici di Alessan- dro VII nell'Archivio Chigi », *Mélanges Eugène Tisserant*, Vati- can, 1964, vol. VI, p. 449) est étayée par un bon nombre d'ébauches au crayon attribuées au Bernin, mais qui sont en fait de la main d'Alexandre VII. Cela est d'autant plus incontes- table qu'il existe une annotation écrite de sa main avec le même crayon, comme dans le dessin esquissant l'idée des bras de la colonnade de la place Saint- Pierre sous la forme d'une re- présentation anthropomor- phique de l'étreinte de l'Église dont on doit se représenter la coupole de la basilique comme la tête surmontée de la tiare papale (voir le cat. d'exp., *Ber- nini in Vaticano*, Rome, 1981, n° 138). La qualité supérieure de certaines ébauches dessinées avec le même crayon sur la même page indique qu'il faut prendre au sens littéral la décla- ration d'Alexandre VII dans son journal selon laquelle il a « dessiné » avec le Bernin; il s'agit bien de dessiner plutôt que de faire des projets (voir R. Krautheimer et R. Jones, « The Diary of Alexander VII, Notes on Art, Artists and Buildings », *Römisches Jahrbuch für Kunst- geschichte*, vol. 15, 1975, p. 200; et n° 137, p. 206).

21. Le caractère familier de l'idée selon laquelle on peut entendre par les yeux, est illustré par le commentaire au frontispice conçu par le Bernin pour un livre écrit par son neveu qui plus tard l'assista dans ses der- niers instants : « Dans sa miséricorde infinie, le Seigneur a voulu par un effet de sa providence que par la main d'un artiste pieux soit dessinée l'image du Sauveur crucifié… afin que, présenté par ce moyen aux yeux de l'homme de chair, votre cœur soit plus aisément amené à écouter ses comman- dements célestes et à leur obéir. Écoute donc avec ton cœur lorsque tu fixes du regard l'image pieuse ou que tu lis ces pages. » (F. Marchese, « Unica speranza del peccatore che con- siste nel sangue di N.S. Giesù Cristo… », Rome, 1670, cité par I. Lavin, dans « Bernini's Death », *Art Bulletin*, vol. LIV, n° 2, 1972, p. 162–171; la pré- sente citation provient de la réimpression, avec traduction des notes, dans *Bernini in Pers- pective* de G. Bauer, Englewood Cliffs, New Jersey, 1976, p. 118, n° 21).

22. Parmi les thèmes examinés ci- dessus et qu'on trouve chez Ferro, il y a le sphinx, auquel il attribue la devise *agl'indovini sol sicuro è il varco* (II, p.634). Pour la double signification de la trompette, voir *ibid.* p.700. En ce qui concerne l'image platoni- cienne des ailes de l'âme, voir *ibid.* p. 31 et p. 116 sous la rubrique « chenille, ver à soie ». Quant à la signification de la plume d'oie, qui assurerait l'élé- vation jusqu'aux étoiles sur les ailes de la Renommée, voir *ibid.* p. 551. L'influence de Ferro dans la réalisation du tombeau d'Ur- bain et de beaucoup d'autres œuvres du Bernin sera examiné

plus à fond ailleurs. Concernant la plus grande durabilité du papier, voir *ibid.*, p. 185 et 186, où l'on trouve une référence directe à Maffeo Barberini et à l'immortalité de son nom que lui a valu sa vertu, en ce qui concerne surtout sa poésie. Il vaut la peine de citer in extenso l'explication que donne Giovanni Ferro de la signification de l'*impresa* (voir fig. 22 et cat. n° 40) des abeilles et du laurier qui démontrait bien les associations poétiques dont pouvaient s'inspirer des artistes doués d'imagination (voir *ibid.*, p. 73 et 77). « Le très illustre seigneur cardinal [Maffeo] Barberini ... voulant créer une *impresa* pour montrer comment ses ancêtres étaient venus de Florence à Rome ... trouva le corps et la devise chez Virgile [Énéide 7] ... Ayant ainsi pris les mots HIC DOMUS [ici une demeure], il les appliqua aux Abeilles surmontant le Laurier, ce qui nous permet de dire, puisqu'elles re-

présentent dans Virgile des étrangers, comme l'étaient Énée et ses compagnons, que ce Seigneur prit les Abeilles avec leur signification dans Virgile, représentant par celles-ci, qui forment également le meuble de ses armoiries, ses ancêtres qui quittèrent Florence pour aller vivre à Rome, ce qui se produisit à l'époque de Paul III ... En ce qui concerne le corps, HIC DOMUS [convient] parce que le Laurier est consacré à Apollon, et qu'il n'est jamais atteint par la foudre, et que les Abeilles sont sacrées par Jupiter, et Varron les appelle les oiseaux des Muses. Cet arbre [est] celui de la science, du triomphe, de la poésie, de la domination, de l'immortalité, de la chasteté, et de même l'Abeille de l'éloquence, de la poésie, de la continence, de la clémence, de la diligence, de l'art, d'une vie longue et prospère, du bonheur, de la paix et de l'union : on peut donc vraiment dire qu'il a

signifié son choix d'une demeure où il accomplira ses travaux, en toutes vertus et choses que nous avons énumérées, dont les Abeilles et le Laurier sont les symboles, dont on peut dire qu'il a pris possession, ayant répandu et communiqué la douceur de sa poésie dans ses œuvres, rassemblées et révélées aux multitudes parmi d'autres dispersées et perdues, et que celui qui goûta à leur douceur, vit qu'elles avaient le malheur de ne pas être consacrées à Phoebus, et communiquées à la postérité; en plus de cette intelligence, dont il fait preuve dans les affaires qu'il traite comme préfet [de la Segnatura di Giustizia], où on peut voir la diligence de l'Abeille; dans ses actions et ses manières, la candeur et la pureté, qui lui promettent l'immortalité de son nom, l'union des cœurs, la domination sur les esprits, le bonheur et la prospérité dans ses actions. »

GYDE VANIER SHEPHERD

L'art de la révélation :
La tradition baroque au Québec,
de 1664 à 1839

L'œuvre d'art est une tentative vers l'unique, elle s'affirme comme un tout, comme un absolu, et, en même temps, elle appartient à un système de relations complexes. [...] Elle plonge dans la mobilité du temps, et elle appartient à l'éternité.

HENRI FOCILLON,
Vie des formes, éd. 1943

23

*Reliquaire
du père Jean de Brébeuf,*
1664–1665
Le Musée des augustines
de l'Hôtel-Dieu de Québec
a généreusement consenti
au prêt de cette œuvre
en guise de complément à
l'exposition *Splendeurs
du Vatican* (Inv. A–100)

Le patronage des ordres religieux catholiques, pénétrés d'esprit missionnaire, permit la colonisation de la Nouvelle-France et établit les fondements de l'art canadien. Les jésuites arrivèrent en Nouvelle-France dès 1611, Champlain amena les récollets à Québec en 1615, et les sulpiciens s'établirent à Montréal en 1657. Marie de l'Incarnation arriva à Québec en 1639, avec les ursulines. En plus de propager la foi, ces ordres fondèrent des couvents, des écoles et des hôpitaux et orientèrent de façon durable le goût catholique pour l'art italien et français de la Renaissance et de l'époque baroque. L'influence du baroque français, avec sa dignité classique et ses sentiments idéalisés, sur l'art religieux de Nouvelle-France à l'époque de M\ :sup:`gr` de Laval, dura jusqu'à l'âge d'or de la peinture québécoise, au XIX\ :sup:`e` siècle.

Le portrait posthume en argent du père Jean de Brébeuf, commandé par la famille du jésuite martyrisé en Huronie en 1649, est un de ces premiers exemples. Fabriqué à Paris par un artiste inconnu en 1664–1665 et présenté aux jésuites à Québec, le *Reliquaire Brébeuf* (fig. 23) est placé sur une base en forme de cercueil contenant des fragments du crâne et des os du missionnaire. Le reliquaire émeut par son pathétique dépouillé et rappelle l'art du portrait de l'Antiquité gréco-romaine et de la Renaissance française. Probablement apparentée à la gravure effectuée par Huret et publiée en 1664 dans *Historiae Canadensis seu Novae Franciae*, de François du Creux, cette splendide tête en argent est un emblème idéal, presque constantinien, de l'héroïsme.

Le caractère du buste de Brébeuf, semblable à un masque, contraste vivement avec le naturalisme brillant des portraits en marbre du Bernin. C'est néanmoins une coïncidence de l'histoire qu'une superbe version en bronze du *Buste de Louis XIV* en marbre, du sculpteur italien, attribuée à Jérome Derbais, ait été placée le 6 novembre 1686 sur la Place royale de Québec. L'*Effigie du Roy* figurant sur la vue de

Québec en 1688 du cartographe Jean-Baptiste-Louis Franquelin est probablement ce même buste. Retiré de la Place royale vers 1700, le buste ne fut remplacé qu'en 1948 par une autre copie présentée par le gouvernement français. Le Bernin avait sculpté le marbre original (aujourd'hui à Versailles) au cours de sa visite en France en 1665. Sa représentation du Roi-Soleil, qui rappelait à ses contemporains aussi bien Jupiter qu'Alexandre le Grand, fit sans doute une impression aussi vive dans le vieux Québec que la noble effigie du père Brébeuf.

Claude François prit, dans l'ordre des récollets, le nom de frère Luc (d'après la légende, saint Luc l'Évangéliste, le patron des peintres, fit des portraits de Marie et de Jésus) et, en quinze mois, il créa pour les générations à venir une tradition primordiale dans l'art religieux. Le tableau le plus important que nous connaissions des débuts du Canada fut longtemps attribué à ce « Peintre du Roy », venu en 1670 aider au rétablissement de l'ordre des récollets au Québec et à la reconstruction de son couvent. *La France apportant la foi aux Hurons de la Nouvelle-France* (fig. 24) est maintenant associée à la mission jésuite chez les Hurons, qui commença en 1626 avec le père Brébeuf et d'autres missionnaires. À une époque encore toute nourrie des réminiscences galiléennes, un firmament nébuleux s'ouvre, dévoilant un ciel éblouissant où la Sainte Trinité trône, tenant le Globe, accompagnée de la Sainte Famille. Anne d'Autriche, mère de Louis XIV et régente de 1643 à 1660, personnifie une France couronnée revêtue d'un vêtement royal, devant laquelle l'Indien s'agenouille et dont la puissance l'enveloppe déjà, à l'image du manteau. Au centre du tableau, le fleuve Saint-Laurent, en une profonde perspective, conduit à un endroit lointain (la France ?) où le ciel et la terre se rejoignent. La clé de cette union est le tableau de révélation que la France tient dans sa main droite, alors que sa main gauche pointe vers la vision béa-

24

tifique. Le navire de la France est ancré derrière elle. La tête du Huron et les deux chapelles simples qui se trouvent derrière lui sont, à l'instar du *Reliquaire Brébeuf*, inspirées de la gravure du martyre de Brébeuf et de Lalemant effectuée par Grégoire Huret. Cette œuvre monumentale d'art pieux célèbre l'évangélisation garantie par l'État. La France a une pose classique ressemblant à celle

24
La France apportant la foi aux Hurons de la Nouvelle-France, v. 1670
Monastère des ursulines, Québec

25
Claude François, dit frère Luc
L'Assomption de la Vierge, 1671
avec retable et tabernacle

25

26

en bois doré par Noël Levasseur
Chapelle de l'Hôpital général
de Québec (ancienne chapelle
de l'ordre des récollets)

26
Claude François, dit frère Luc
La Sainte Famille avec
une jeune Huronne, v. 1671,
Monastère des ursulines, Québec

d'Anne d'Autriche, dans le bronze de Simon Guillain daté de 1647 du Louvre.

Le frère Luc arriva à Québec à l'époque de monseigneur François-Xavier de Montmorency-Laval, le vicaire apostolique du pape en Nouvelle-France (1659–1674), qui devint le premier évêque de Québec (1674–1685). Les sympathies de Laval allaient aux jésuites, orientés vers Rome, dans le sillage du Concile

de Trente et de la Contre-Réforme du XVIᵉ siècle. Le frère Luc fut à Rome l'élève de Poussin et d'autres artistes français, après avoir travaillé avec Vouet à Paris. Ses tableaux représentant l'*Assomption* (fig. 25), la *Sainte Famille avec une jeune Huronne* (fig. 26) et la *Vierge et l'Enfant* (vers 1676) sont l'œuvre d'un artiste qui a fait siennes les formes et les couleurs de l'art italien des XVIᵉ et XVIIᵉ siècles. Une observation directe de l'art de la Renaissance et du début de la période baroque, depuis Raphaël, Fra Bartolommeo et Michel-Ange, à Annibale Carracci, au Guide et au Bernin, à la lumière d'une Antiquité ressuscitée, fournit au frère Luc tous les motifs possibles de l'iconographie chrétienne et du classicisme. Il est même probable qu'il ait connu les peintures de Rubens de la série de Marie de Médicis, exécutées à Paris dans les années 1620.

Son *Assomption* (fig. 25), peinte sur un fond évoquant le Saint-Laurent et le cap Diamant, et représentant, pour la vénération des fidèles, la Vierge en train de monter au ciel, rappel de la transfiguration et de la résurrection du Christ, fut commandée par l'intendant Jean Talon et porte ses armes. C'est une œuvre pieuse typiquement baroque, visant à exalter et à émouvoir. Placée haut au-dessus de l'autel, elle est encadrée d'une architecture à la fois solennelle et exubérante. L'ajout, par Pierre-Noël Levasseur en 1722, d'un retable avec tabernacle, qu'on dit inspiré des plans faits par Louis Le Vau vers 1660 pour le collège des Quatre-Nations, à Paris (maintenant l'Institut de France), complète l'ensemble italianisé. Il est possible que le sculpteur québécois ait connu ce plan d'après une gravure du Français Pérelle. Le collège était unique à Paris pour le grandiose de son baroque à la romaine, inspiré de Borromini, dans l'esprit de la grande basilique Saint-Pierre de Michel-Ange.

La *Sainte Famille avec une jeune Huronne* (fig. 26), où la ville de Québec se profile également en fond de scène, est une « image sainte » plus intime, destinée à la contemplation solitaire. On y voit la jeune Huronne, accueillie par Joseph et bénie par l'enfant Jésus, prendre la place habituellement réservée à Jean-Baptiste dans l'art européen. Il s'agit peut-être là du tableau qui, à la demande de Mgr de Laval, avait été placé sur un clocher pour implorer – avec succès – l'intervention de Dieu lors de

l'attaque de Phips contre Québec en 1690. Sous la conduite de Laval et des jésuites, la dévotion à la Sainte Famille devint un leitmotiv de l'art religieux du Québec au XVIIe siècle. *La Vierge et l'Enfant*, le grand tableau du frère Luc qui se trouve à Sainte-Anne de Beaupré, figuration inhabituelle de la présentation du Nouveau-Né au Père, symbolisé par une lumière céleste, devait viser par son naturalisme à émouvoir l'Indien converti.

Le point de mire de l'intérieur d'une église catholique baroque était sans contredit l'autel, surmonté d'une représentation peinte ou sculptée du ciel, et d'un baldaquin. La célébration de la messe et des sacrements est au cœur du rituel catholique. Le point culminant de la messe, ou Eucharistie, est la reconstitution de la Dernière Cène sur l'autel, la transsubstantiation du pain et du vin, qui deviennent le Corps et le Sang du Christ crucifié et ressuscité. Les instruments fondamentaux de la messe sont le contenant du vin consacré, le calice, et le récipient peu profond contenant l'hostie, la patène. Datant des environs de 1673, le calice et la patène en argent doré de Mgr de Laval sont probablement un don fait par Louis XIV en 1674 au premier évêque de Québec. Décorés de scènes du Mariage de la Vierge, de l'Annonciation, de la Visitation, de la Nativité, de la Présentation, de l'Adoration des Mages et de la Pentecôte, ainsi que de représentations des quatre évangélistes et de symboles des vertus théologales, ces vases sacrés de Nicolas Dolin sont de beaux et rares exemples de l'art français du XVIIe siècle au Canada (conservés au Séminaire de Québec).

La chasuble est un des principaux vêtements portés par le célébrant pendant la messe. Une chasuble française (fig. 27) richement brodée de cette période, qui appartenait aux jésuites de Québec, porte au devant le monogramme IHS (les trois premières lettres du nom de Jésus en grec, que les jésuites

27
Chasuble, XVIIe siècle
broderie de fils d'or
et d'argent sur soie
Musée des augustines
de l'Hôtel-Dieu, Québec

28
Baldaquin, v. 1695
bois peint et doré, avec un
autel par François Baillargé
Église de Neuville (Québec)

avaient adoptées), et le symbole de l'Agneau (le Christ) sur la Croix, avec les sept sceaux de l'Apocalypse, au dos. Au moment de la consécration du pain et du vin sur l'autel, où le tabernacle et le crucifix brillaient de tous leurs feux, entourés par des cierges à la flamme vacillante, les fils d'or et d'argent brodés étaient sans doute censés luire d'un éclat divin. Cette chasuble est un des meilleurs témoins de la tradition de la broderie de fils d'or et d'argent établie par les ursulines à Québec. Un parement d'autel de l'église Notre-Dame à Montréal, attribué à Jeanne Le Ber (dont le frère peignit le portrait de Marguerite Bourgeois, fondatrice de la Congrégation de Notre-Dame) qui dut apprendre la broderie chez les ursulines de Québec dans les années 1670, est une des œuvres les plus remarquables de cet art à nous être parvenues. Décorant le devant de l'autel, telle une nappe fastueuse, on peut imaginer l'éclat qu'il devait ajouter au spectacle de la messe.

L'architecture et la décoration de l'autel et du baldaquin baroques, qui donnaient une idée du paradis et en constituaient la porte d'entrée, s'harmonisaient avec l'architecture spectaculaire de l'église dans son ensemble, et particulièrement de la façade. Cette tradition fut transplantée dans le Québec du XVIIe siècle par des imitations en bois, détruites en grande partie par les guerres et les incendies, modifiées par des restaurations ou déplacées à l'occasion d'une redécoration. Le spécialiste québécois John Porter a récemment découvert et divulgué l'origine, la signification et la date (vers 1695) du baldaquin qui se trouve maintenant à Neuville (fig. 28). Il fut commandé par Mgr Jean-Baptiste de la Croix de Chevrières de Saint-Vallier pour la chapelle du premier palais épiscopal de Québec. Saint-Vallier, dont la nomination par Louis XIV fut confirmée par le pape Innocent XI, fut le deuxième évêque de Québec (1688–1727). À l'époque, on savait que le plan de ce remarquable travail de menuiserie s'inspirait du baldaquin de l'église du Val-de-Grâce à Paris (1645–1667; voir fig. 5), lui-même inspiré d'une des merveilles de l'époque baroque : le majestueux baldaquin en bronze du Bernin, à Saint-Pierre de Rome (1624–1633). Au cours de son voyage à Paris à l'invitation de Louis XIV, en 1665, le Bernin avait été invité par Anne d'Autriche à dessiner un baldaquin pour le maître-autel du Val-de-Grâce. Ses plans ne furent pas exécutés, mais Gabriel Le Duc, dans sa propre conception, s'inspira certainement du chef-d'œuvre du Bernin à Rome.

Dans les années 1670–1695, à l'époque de Jean Talon et de Mgr de Laval, la décoration des églises et la sculpture sur bois avaient déjà attiré nombre d'artistes et artisans français qui suivaient ainsi la voie tracée par le frère Luc. Le Séminaire de Québec, fondé par Mgr de Laval en 1663, a été l'un des premiers établissements à embaucher des artisans français. Ces derniers – parmi lesquels figurait le remarquable prêtre bordelais Jacques LeBlond de Latour – inculquaient les principes de leur art aux apprentis séminaristes et laïques. Une exquise sculpture sur bois doré des années 1690, de Saint-Romuald d'Etchemin, intitulée *L'Ange à la trompette*, que John Porter met en lumière et décrit avec sensibilité dans le catalogue de l'exposition *Le Grand Héritage*, est un des premiers exemples de cette production. Fabriqué pour surmonter un abat-voix, cet « ange de la Bonne Nouvelle » s'inspire de l'Antiquité, aussi bien par la pose que par le drapé audacieux. (Le sculpteur avait sûrement vu le buste de Louis XIV, du Bernin, installé à la Place royale de Québec.) La chaire elle-même fut commandée à l'origine pour l'église de l'Hôpital général de Québec. Le pendant en argenterie de la sculpture québécoise sur bois s'inspira à l'origine du baroque français et de ses sources italiennes, mais ultérieurement la production locale fut beaucoup plus simple et d'un style plus contenu. *La Vierge et l'En-*

fant, dans la collection des sulpiciens à Oka, exécuté par le Parisien Guillaume Loir en 1731–1732, est d'une facture plus complexe et plus brillante que le calice et la patène de Mgr de Laval. La belle « Reine des Cieux », accompagnée de son royal enfant, appartenait à la mission sulpicienne d'Oka dans les années 1740, et était portée en procession pour la fête de l'Assomption. L'idéal baroque, qui consistait à revêtir le sublime d'une forme classique, continua ainsi à donner faste aux rites et à influencer le style de l'art religieux au Québec, longtemps encore au XVIIIe siècle.

Pierre-Noël Levasseur fut un des plus éminents sculpteurs nés au Québec à avoir adopté ce style. Ses statues en bois doré de saint Pierre et saint Paul, qui furent exécutées en 1742 et se trouvent maintenant à Charlesbourg, près de Québec, sont dans la digne

29
Pierre-Noël Levasseur
Retable de la chapelle des ursulines, 1726–1736
bois peint et doré
Chapelle des ursulines, Québec

lignée de l'œuvre de Loir, *La Vierge et l'Enfant*. Son chef-d'œuvre, le *Retable de la chapelle des ursulines* (fig. 29), est unique au Québec, ayant survécu presque entièrement au temps et aux incendies, conservant sa forme et son cadre originels. Sculptée entre 1726 et 1736, la grande structure élaborée en bois peint et doré adopte la forme classique d'un arc de triomphe, et s'inspire de gravures représentant des adaptations baroques françaises de façades d'églises italiennes. C'est à la fois l'entrée du paradis et un tableau de révélation. Dans la partie supérieure, saint Joseph et l'Enfant Jésus sont entre deux anges; dans la partie médiane, on voit, de chaque côté d'un tableau français du XVIIe siècle représentant la Nativité, saint Augustin (à gauche) et sainte Ursule (à droite). Ces deux personnages sont flanqués de colonnes cannelées surmontées de chapiteaux corinthiens, et d'un entablement classique. La partie inférieure du retable est décorée de panneaux en relief représentant saint Pierre et saint Paul, et les quatre évangélistes. Le seuil de cette porte du ciel est l'autel de l'Eucharistie, avec son tabernacle et son devant d'autel élaborés, où on devait pendre des parements brodés à l'occasion des grandes fêtes. Inspirés de modèles européens en marbre, en pierre et en bronze, les retables en bois doré et peint du Québec étaient des réalisations extraordinaires.

François-Marc Gagnon, Laurier Lacroix et d'autres historiens de l'art québécois, ont montré combien l'utilisation des gravures d'art européen était répandue en Nouvelle-France, et ce dès les années 1630; d'abord comme instruments de conversion, et, plus tard, comme modèles à copier. L'Académie royale de peinture et de sculpture, modelée sur des précédents italiens, fut fondée à Paris en 1648. Suivit, en 1666, l'établissement à Rome de l'Académie de France, vouée elle aussi à l'étude de l'Antiquité et à la copie de la sculpture ancienne. C'est vers cette époque,

soit dans les années 1670, que le frère Luc et ses successeurs français et canadiens établirent les fondements de l'art religieux au Québec. L'arrivée à Québec au début du XIXe siècle de la collection de peintures de l'abbé Philippe-Jean-Louis Desjardins, sauvée de la fureur iconoclaste de la Révolution française, ranima l'esprit baroque de la peinture académique française dans l'art religieux du Québec. L'abbé Desjardins, qui avait été au Québec de 1793 à 1803, envoya de France, de 1816 à 1820, environ 200 peintures à caractère religieux, et notamment des œuvres de Simon Vouet et de Claude-Guy Hallé. En 1817, la collection commença à être exposée et mise aux enchères, et se retrouva par la suite dans des églises et établissements québécois (l'artiste Joseph Légaré en acquit lui-même plus tard). Le *Saint François de Paule ressuscitant l'enfant de sa sœur*, de Vouet, peint avant 1655, fut acheté au début des années 1820 par la Fabrique de Saint-Henri de Lévis, où il se trouve encore. C'est sans doute vers 1821, alors que le tableau était exposé à l'Hôtel-Dieu de Québec, que Joseph Légaré le copia. Fidèle à l'original français du XVIIe siècle qui représente dans un merveilleux tableau vivant un miracle, avec en fond de scène un autel rappelant le baldaquin du Bernin à Saint-Pierre de Rome, Légaré, dans la version appartenant au Musée des beaux-arts du Canada, admit s'inspirer du pathétique baroque pour peindre des œuvres pieuses. Vers 1828, Légaré reprit même la *Dernière Communion de saint Jérôme* du Dominiquin (cat. no 4), en peignant une version de cette illustre composition du XVIIe siècle d'après une copie appartenant aux ursulines. Une autre œuvre de la collection Desjardins fit l'objet d'une copie; il s'agit du *Baptême du Christ* de Claude-Guy Hallé, que Jean-Baptiste Roy-Audy copia en 1824 et qui est aujourd'hui au Musée du Québec. Roy-Audy fut au nombre des artistes qui contribuèrent à faire de cette composition baroque une oeuvre des plus copiées et des plus vénérées de l'art religieux du XIXe siècle au Québec.

En 1836, les sulpiciens firent commande à Antoine Plamondon d'une série monumentale de peintures pour les stations du chemin de la Croix de l'église Notre-Dame à Montréal. En 1839, pour la *Déposition de Croix* (fig. 30), Plamondon basa sa composition sur celle de l'artiste français Jean Jouvenet datant d'environ 1708. Il avait peut-être vu l'original de Jouvenet en France avant de revenir au Canada en 1830 après une période d'étude à Paris. Mais il est plus probable qu'il ait pris connaissance du tableau de Jouvenet d'après une copie commandée par les sulpiciens avec six autres stations du chemin de la Croix, pour les oratoires et les chapelles du Calvaire d'Oka, au Québec, et installée à cet endroit vers 1742. Ces œuvres se trouvent maintenant à l'église de l'Annonciation à Oka. Plamondon possédait également une copie du *Martyre de saint Érasme* de Poussin (cat. n° 7), comme le rapporte Jean Trudel. Cette composition aussi dut influencer son interprétation de l'ultime sacrifice du Christ. Les stations de Plamondon ne furent malheureusement jamais installées à Notre-Dame de Montréal, mais plusieurs ont survécu et appartiennent aujourd'hui à la collection du Musée des beaux-arts de Montréal. Sa *Déposition de Croix* possède le caractère dramatique du baroque français et italien, mais elle a également été influencée par le néoclassicisme de David. Plamondon redécouvrit la gestuelle expressive de l'art religieux québécois des deux siècles précédents. Chargée d'une émotion religieuse exaltée, sa belle *pietà* dépeint de façon émouvante la foi en l'intervention de Dieu sur terre.

30
Antoine Plamondon
La Descente de croix, 1839
d'après Jean Jouvenet,
huile sur toile
Musée des beaux-arts de
Montréal (Inv. 961.1326)

Illustrations et catalogue

La Sainte Trinité avec le Christ mort et les anges portant les instruments de la Passion

Huile sur toile, 172,5 × 126,5 cm
Pinacothèque vaticane (Inv. 1249)

L'origine de cette œuvre est inconnue; elle ne figure ni dans la vie de l'artiste par Malvasia (1678), ni dans son guide des tableaux de Bologne (1686). À la fin du XVIIᵉ siècle, le cardinal Flavio Chigi (mort en 1693) la légua au pape Innocent XII, et elle fait depuis lors partie des collections du Vatican (voir Prof. Carlo Pietrangeli, « La Pinacoteca di Pio VI », *Bollettino Monumenti Musei e Gallerie Ponteficie*, vol. III, 1982, p. 147, nᵒ 7, qui cite une indication de feu le marquis Giovanni Incisa della Rochetta mentionnant que ce tableau était attribué à Ludovico dans un inventaire de 1698). Elle fit partie de l'exposition Carracci de 1956, sous le nᵒ 17, et l'attribution ayant été perdue, Roberto Longhi l'avait reconnue comme étant de Ludovico Carracci (expliquant son absence dans la monographie d'Heinrich Bodmer de 1939). On ne sait pas où le cardinal Flavio acquit ce tableau de Ludovico. Peut-être s'agit-il d'un héritage, car son style ténébreux pouvait fort bien plaire à l'esprit siennois qui avait nourri Vanni et Salimbeni (en fait le tableau n'est donné à Carracci que dans un inventaire des tableaux du palais Chigi de la place des Saints-Apôtres, page 60, daté de 1666–1669; Archives Chigi, nᵒ 702, Bibliothèque apostolique vaticane).

Les cousins Carracci avaient créé en 1584, dans leur Bologne natale, une académie de peinture où certains des peintres les plus en vue des deux premières décennies du XVIIᵉ siècle furent formés. Quand Annibale fut appelé à Rome au service du cardinal Farnèse (voir cat. nᵒ 2), et Agostino à Parme pour peindre des fresques dans le palais du duc Ranuccio Farnèse, Ludovico resta à Bologne pour former une nouvelle génération de peintres. L'œuvre de ces derniers est visible dans une certaine mesure, bien que très endommagée, dans les décorations du cloître du monastère de Saint-Michel-de-Bosco, qu'ils exécutèrent en 1604 sous la direction de Ludovico. N'ayant manifestement pas la vigueur observable dans les fresques que les trois avaient peintes à Bologne dans les années 1580 et 1590, le style ultérieur de Ludovico allie néanmoins la grâce des lignes aux contrastes de lumière. Charles Dempsey a fait remarquer : « Le naturel de l'art de Ludovico est profondément rhétorique... contrairement à Annibale, il évitait de copier l'antique, s'intéressant moins à un idéal métaphysique de perfection naturelle qu'à l'expression d'une expérience mystique intensément religieuse » (dans *The Age of Caravaggio*, Metropolitan Museum of Art, New York, 1985, p. 120).

Sur le plan stylistique, cette peinture de la Trinité appartient à la période du début des années 1590, où Ludovico produisit également pour Cento le fameux retable Cappuccini et la *Vision de saint François* (Rijksmuseum). Comme dans ces œuvres, la lumière éclaire les personnages, qui sont essentiellement dans l'obscurité, leur donnant une intensité extraordinaire. Ludovico ne respecte pas dans ce tableau la façon traditionnelle de représenter la Trinité. Au lieu de la représentation hiérarchique de Dieu le Père sous le Saint-Esprit, les bras étendus derrière le Christ mort sur la croix (comme dans l'œuvre de Dürer ou dans le magnifique retable du propre élève de Ludovico, le Guide, qu'il peignit en 1625 pour l'église romaine de la Trinité-des-Pèlerins), Ludovico intègre à la Trinité une scène de la *pietà*. Dans ce tableau, le corps du Christ repose sur les genoux, non pas de la Vierge, mais de Dieu le Père, qui porte un énorme manteau. Les anges qui portent les instruments de la Passion sont tronqués et entassés dans la composition, qui doit être vue d'en bas.

La question se pose à savoir si – à l'instar de la *Pietà* ou de la *Mise au tombeau du Christ* (Pinacothèque vaticane, Inv. 290) de Giovanni Bellini, ou même d'une représentation similaire du Greco, *La Trinité* (1577–1579, Prado) – l'œuvre devait servir de *cyma*, ou cimaise, pour coiffer un grand retable, ou si elle était destinée à surplomber la porte de la sacristie. Le tableau, avec cette image très puissante, pouvait tout aussi bien être destiné à la méditation solitaire. Il est impossible de déterminer de façon certaine si, dans cette représentation de Dieu le Père, Ludovico voulait représenter un pape particulier – peut-être Grégoire XIII (mort en 1585) de Bologne – tant qu'on n'en saura pas davantage sur la commande.

C.J.

Annibale Carracci (BOLOGNE 1560–ROME 1609)

La Vision de saint François

Huile sur cuivre, 46,8 × 37,2 cm
Musée des beaux-arts du Canada,
Ottawa (Acq. 18905)

Annibale fut le membre le plus brillant de la famille Carracci. À Bologne, leur académie avait été fondée dans le but de redonner vie, par un retour à la nature, à un art devenu décadent, notamment par une pratique constante du dessin d'après nature et une réaffirmation des principes de l'art de la Renaissance. Cette entreprise était l'expression visuelle de l'optimisme qui prévalait à Bologne, grâce au *Discorso intorno alle immagini sacre e profane* (1582) du cardinal Paleotti qui épousait les recommandations du Concile de Trente d'utiliser l'art comme moyen d'éveiller et d'édifier la foi. Le style d'Annibale se développa rapidement à la faveur des voyages qu'il fit dans sa jeunesse à Parme et à Venise, avant son départ définitif pour Rome alors qu'un classicisme ascendant déjà apparent dans ses œuvres fut confirmé par l'étude de l'art de l'Antiquité et de la Haute Renaissance. Le cardinal Odoardo Farnèse l'avait appelé à Rome pour peindre des fresques dans son palais construit pendant le pontificat de Paul III. Pendant la dizaine d'années qui suivit, Annibale concentra ses énergies sur la décoration très complexe du plafond et des murs de la galerie Farnèse, décoration apparemment mythologique, mais avec d'évidents accents moraux, produisant une œuvre éminemment classique et monumentale qui est une des œuvres-clés de la peinture du XVIIe siècle. Il fut aidé par un certain nombre d'élèves émiliens qui l'avaient suivi à Rome et dont les plus célèbres étaient l'Albane, le Dominiquin et Lanfranco, qui devaient eux-mêmes jouer un rôle important dans la peinture romaine sous le règne de Paul V.

Ce petit panneau de cuivre, dont l'échelle diffère considérablement de celle d'autres œuvres de l'exposition, date également des années passées par Annibale à Rome et fut certainement conçu pour être une œuvre pieuse privée.

C'est Bellori qui fit le premier mention de la présence de l'œuvre, dans la biographie d'Annibale (1642), dans la collection d'un certain monseigneur Lorenzo Salviati. Annibale avait peint pour le cardinal Antonio Maria Salviati (mort en 1602) un retable pour l'église Saint-Grégoire-le-Grand. Il est possible que monseigneur Salviati ait obtenu ce petit panneau par héritage, mais celui-ci ne figure pas dans les inventaires des biens du cardinal, établis en 1612 et 1634, à une époque où certaines des œuvres pourraient bien avoir été dispersées. La scène représentée est essentiellement le thème, typique de la Contre-Réforme, de la vision de saint François, où le saint reçoit l'Enfant Jésus dans ses bras, comme le représentait Pierre de Cortone dans son tableau ultérieur sur ce thème (cat. nº II; voir E. Mâle, *L'art religieux du XVIIe siècle*, Paris, 1951, p. 174). L'interprétation d'Annibale est personnelle et montre le saint en pâmoison devant l'image qu'il a devant lui, comme s'il se sentait indigne de prendre l'enfant.

Il semble que les bandes de cuivre ajoutées par l'artiste sur les côtés du panneau attestent un changement d'intention de sa part. À l'origine, il avait peint une construction à l'arrière-plan, à droite (repentir visible vers la gauche de l'arc de droite), mais pour une raison ou pour une autre, il jugea préférable d'intégrer des éléments d'architecture plus imposants, ce qui l'obligea à élargir le panneau. Denys Sutton a attiré l'attention sur le fait que les arcs et l'architrave classiques rappellent ceux qu'avait conçus San Gallo pour la cour du palais Farnèse. Pendant la décoration de la galerie, Annibale habita au palais malgré son état d'abattement et la détérioration de ses relations avec le jeune cardinal Odoardo Farnèse, causés par la maigre somme que le cardinal lui octroya en retour de ses immenses efforts. On se demande tout naturellement si les éléments d'architecture furent imposés à l'artiste, ou si celui-ci les ajouta bénévolement, ayant peut-être le sentiment que la Vierge, de par son caractère classique, exigeait un cadre plus monumental. La candeur exquise qui se dégage des personnages a conduit Donald Posner à suggérer une date postérieure à 1597, à une époque où on trouvait dans l'œuvre d'Annibale des réminiscences du style intimiste et pictural du Corrège (voir sa monographie *Annibale Carracci*, vol. II, 1971, nº 91 qui mentionne d'autres provenances et donne une bibliographie pertinente).

C.J.

3

Pierre-Paul Rubens (SIEGEN 1577–ANVERS 1640)

La Mise au tombeau

D'après le Caravage
Huile sur panneau,
88,3 × 66,5 cm
Musée des beaux-arts du Canada,
Ottawa (Acq. 6431)

La présence d'un Flamand parmi les artistes surtout italiens représentés dans cette exposition ne devrait pas surprendre, étant donné le rôle très actif que les artistes du Nord jouèrent à Rome tout au long du siècle. Même si Rubens ne resta pas en Italie (il y arriva en 1600 au service de Vincent de Gonzague, duc de Mantoue, et retourna à Anvers en 1608), il passa plusieurs années d'études à Mantoue, à Gênes et à Rome, où il ne se contenta pas de copier les maîtres italiens, mais où il produisit aussi des œuvres personnelles. Pour la Chiesa Nuova à Rome, il peignit une toile pour le maître-autel, y introduisant la Vierge et l'Enfant de même que divers saints, notamment saint Grégoire le Grand. Comme il y avait des reflets gênants à la surface de ce tableau quand il était placé au-dessus de l'autel, Rubens le retira (il l'emporta à Anvers; le tableau se trouve aujourd'hui au musée de Grenoble) et le remplaça par trois panneaux séparés, peints sur ardoise pour éviter le problème. Ces panneaux furent exécutés entre 1606 et 1608.

Pendant qu'il travaillait à ces tableaux pour le maître-autel, Rubens cotoya plus intimement la *Mise au tombeau*, connue aussi sous le nom de *Déposition*, du Caravage, peinte trois ou quatre ans plus tôt pour la chapelle Vittrici de la même église (maintenant à la Pinacothèque vaticane, Inv. 386; voir F. Mancinelli, *The Vatican Collections*, Metropolitan Museum of Art, New York, 1983, n° 85, et Sheldon Grossman, *The Deposition*, National Gallery of Art, Washington, 1984). Rubens fut sans aucun doute impressionné par ce tableau, une des plus remarquables peintures religieuses baroques, et il en exécuta cette copie avec quelques différences mineures. Pour des raisons stylistiques, on croit que la copie date d'après le retour de Rubens à Anvers, de sorte qu'elle dut être basée sur des dessins faits sur les lieux. La *Mise au tombeau* du Caravage présente six personnages entassés au premier plan et remplissant presque entièrement la toile, semblant même se projeter hors de celle-ci. C'est un tableau dramatique, plein de pathétique, d'autant plus que ses personnages sont non idéalisés, comme on pouvait en trouver dans les rues de Rome alors.

Le caractère direct et la conviction qu'expriment les œuvres religieuses du Caravage s'expliquent en partie par les enseignements de saint Philippe Neri (mort en 1595), qui fonda l'Oratoire parce qu'il jugeait nécessaire un contact plus direct avec les fidèles, par la prédication. En 1575, le pape Grégoire XIII lui accorda l'église Sainte-Marie-in-Vallicella. C'est là qu'une nouvelle église, plus grande, la Chiesa Nuova, fut construite, et que fut construit plus tard, sur la propriété adjacente, l'Oratoire consacré à la prédication et à des spectacles de musique, et abritant les pères et la bibliothèque. Les tableaux de la *Visitation* et de la *Nativité* de Barocci pour la Chiesa Nuova étaient particulièrement prisés par saint Philippe Neri et, grâce à leur sens de la couleur, ont manifestement influencé Rubens.

On ne sait dans quel but Rubens exécuta cette copie; il est cependant intéressant de noter les modifications qu'il apporta aux dessins de son prédécesseur. Le Christ de Rubens est moins idéalisé, ses yeux, très réalistes, portent l'empreinte de la mort, tout comme la bouche, qui est ouverte; tandis que Nicodème, qui n'est plus le citoyen romain retenant délibérément l'attention du spectateur, est maintenant plus anonyme, personnage à la barbe rousse qui regarde au loin. Les gestes dramatiques des bras de la Vierge et de Marie de Cléophas sont contenus, et les deux personnages sont groupés du côté gauche de la composition. Le pied de Jean est plus bas, sur une marche du côté gauche de la composition, et la silhouette indistincte de Joseph d'Arimathie est introduite du côté droit. Enfin, le sentiment d'espace est accru par l'indication de la présence d'un arc, derrière. Ces changements annoncent le dessin de Rubens sur la *Mise au tombeau*, qui se trouve au Rijksmuseum d'Amsterdam (v. 1615; voir J. Held, *Rubens: Selected Drawings*, Londres, 1958, vol. II, pl. 35). Il devait aborder de nouveau ce même thème, cette fois d'une façon plus complexe, dans le retable de Saint-Géry, à Cambrai (Held, *op. cit.*, vol. I, fig. 34). Cette copie libre sur panneau est mentionnée dès 1710 dans la collection des princes de Liechtenstein, à qui elle a appartenu jusqu'à ce que le Musée des beaux-arts du Canada en fasse l'acquisition en 1956.

C.J.

4

Domenico Zampieri, dit le Dominiquin (BOLOGNE 1581–NAPLES 1641)

La Dernière Communion de saint Jérôme 1614

Huile sur toile, 419 × 256 cm
Inscr. b.g. *DOM ZAMPERIUS BONON / F.A. MDCXIV*
Pinacothèque vaticane (Inv. 384)

Nous savons d'après un récit d'époque que le cardinal Pietro Aldobrandini quitta sa villa de Frascati pour retourner à Rome à l'occasion du dévoilement, le 30 septembre 1614, jour de la fête du saint, du tableau peint par le Dominiquin sur le maître-autel de San Girolamo della Carità. En tant que cardinal-protecteur de la Compagnia di San Girolamo, Aldobrandini est peut-être à l'origine de l'attribution de cette commande au Dominiquin qui, même s'il venait d'achever des fresques dans des églises de Rome et de Grottaferrata, une ville voisine, n'avait pas encore peint de retable. Une avance pour le tableau, datée du 10 août 1612, venait d'être rendue publique, mais le deuxième versement n'eut lieu qu'en avril 1614, ce qui donne à entendre que l'ensemble du travail fut effectué entre cette date et l'été suivant, où on sait qu'un cadre fut commandé (voir Elizabeth Cropper, « New Documents concerning Domenichino's "Last Communion of St. Jerome" », *The Burlington Magazine*, vol. CXXVI, mars 1984, p. 149–151). Ces documents montrent que l'artiste reçut à juste titre la somme substantielle de 240 écus pour ses efforts (alors que ses biographes romains, Passeri et Bellori, affirment qu'il ne reçut qu'une somme misérable), car, en plus d'un retable de taille plutôt exceptionnelle, le Dominiquin fit de *La Dernière Communion de saint Jérôme* un des authentiques chefs-d'œuvre de la peinture baroque (voir Richard Spear, *Domenichino*, New Haven et Londres, 1982, n° 41).

Saint Jérôme, qui vécut de 345 à 420 environ, est l'auteur de la *Vulgate*, traduction latine des Écritures, faite à partir des textes grecs et hébreux pour les rendre plus accessibles au monde chrétien. Cela lui vaut l'honneur de figurer parmi les Pères de l'Église d'Occident. Le thème du maître-autel du Dominiquin était inusité, et les représentations du saint dans son étude, ou dans la nature, accompagné dans les deux cas de son fidèle lion, étaient beaucoup plus courantes. Pourtant, une vingtaine d'années plus tôt, l'ancien maître du Dominiquin, Agostino Carracci, avait représenté la scène de la dernière communion du saint pour San Girolamo della Certosa, à Bologne. Quand le Dominiquin visita Bologne au printemps 1612, il aurait revu le tableau d'Agostino, et Spear affirme qu'il en possédait quelques dessins préparatoires. Le Dominiquin emprunta à ce dernier le groupement général des personnages du premier plan et la description d'un espace intérieur intégrant des éléments d'architecture classique et un arc central à travers lequel on aperçoit un paysage. Il fignola la composition, intervertissant les personnages du dessous et en réduisant le nombre, augmentant en même temps celui des petits anges qui volent au-dessus et surélevant l'arc, ce qui dégage davantage le paysage. Au moyen de dessins abondants et étonnamment vigoureux (une quarantaine d'entre eux existent encore, la plupart au château de Windsor, où sir John Pope-Hennessy les catalogua en 1948), l'artiste retravailla et modifia sa composition pour produire une peinture d'une intensité extraordinaire grâce à l'équilibre soigné des formes et de la couleur. Richard Spear a fait remarquer que le Dominiquin (contrairement à Agostino) ne représente pas les disciples de Jérôme comme des membres de l'ordre des hiéronymites, qui ne fut fondé qu'au XVe siècle, et qu'il ne suit pas strictement le récit du pseudo Eusèbe sur les dernières heures du saint, mais qu'il cherche plutôt à rendre la scène plus fidèle à l'histoire, ajoutant notamment un personnage enturbanné et un acolyte agenouillé en vêtements liturgiques grecs, pour rappeler que Jérôme mourut à Bethléem.

Cette nouvelle version améliorée de la composition d'Agostino échappa manifestement à Giovanni Lanfranco, quand il commanda à François Perrier une copie gravée du retable bolonais, qu'il fit circuler à Rome quelques années plustard pour tenter de discréditer le Dominiquin à un moment où les deux artistes luttaient pour obtenir une commande importante, les fresques de l'église Saint-André-de-la-Vallée. La réputation de *La Dernière Communion de saint Jérome* survécut cependant aux calomnies de Lanfranco, et fut même souvent comparée à la *Transfiguration* de Raphaël. Les copies de cette œuvre sont nombreuses (voir Spear, p. 176). En 1797, les soldats de Napoléon emportèrent le retable du Dominiquin à Paris, avec d'autres trésors. Il fut rendu au Vatican en 1815, avec d'autres œuvres récupérées.

C.J.

5

Giovanni Francesco Barbieri, dit le Guerchin (CENTO 1591–BOLOGNE 1666)

Marie-Madeleine 1622

Huile sur toile, 222 × 200 cm
Pinacothèque vaticane (Inv. 391)

Ce tableau remonte au bref séjour de deux ans que le Guerchin fit à Rome, à la demande du pape Grégoire XV nouvellement élu, qui, à titre de cardinal archevêque de Bologne, avait ainsi invité le jeune artiste à venir de sa ville natale de Cento et à peindre pour lui (*Suzanne et les vieillards*, *Lot et ses filles* et *Saint Pierre ressuscitant Tabithe*, voir Denis Mahon, *Il Guercino : il catalogo critico dei dipinti*, Bologne, 1968, p. 44–50). La présence de l'un des premiers chefs-d'œuvre de Ludovico Carracci à l'église Capucine de Cento devait avoir une influence formative sur le Guerchin, et il dut, à Bologne, avoir connaissance de l'effet fondamental des Carracci et de leur académie sur la peinture de cette ville. Il ne fut jamais vraiment l'élève des Carracci, mais suivait pour l'essentiel leur technique de dessin.

À Bologne et, dans l'intervalle, à la cour pontificale de Ferrare, le Guerchin avait acquis un style vigoureux fondé sur les effets de contraste lumineux. Parmi les œuvres étonnamment nombreuses que le Guerchin réussit à exécuter à Rome, l'immense retable qu'il peignit pour Saint-Pierre et le plafond illusionniste qu'il réalisa dans la villa du cardinal Ludovisi sur le Pincio allaient avoir l'effet d'un catalyseur sur l'art du haut baroque romain. Le plafond à l'Aurore, à l'opposé de celui que le Guide avait peint pour le cardinal Borghèse dix ans plus tôt, réussissant par le raccourci des figures ce que l'Albane et le Dominiquin avaient tous deux tenté sans succès dans leurs décorations de palais patriciens, devait changer le caractère de la peinture de plafond profane. Le retable *L'Inhumation de sainte Pétronille* eut une importance égale, particulièrement dans l'aspect émotif que présentait l'art religieux de l'époque. Au premier plan, deux hommes, représentés de façon aussi réaliste que l'aurait fait le Caravage, descendent la sainte dans sa tombe. Les personnages du plan postérieur dessinent une spirale qui joint la moitié inférieure de la composition à la partie supérieure que le Caravage aurait laissée vide, mettant alors en valeur exclusivement l'aspect pathétique de la scène, mais où un Guerchin plus optimiste montre la sainte accueillie au ciel en récompense de ses souffrances terrestres. Ce mouvement du monde terrestre vers le monde céleste, exposé de façon très claire et concrète, devait être exploité davantage par Pierre de Cortone et le Bernin dans leurs décorations d'églises.

À l'opposé, ce tableau est une œuvre beaucoup plus simple, bien que le geste de l'ange vers le ciel montre la contrepartie des souffrances de Madeleine et, physiquement, la composition est traitée suivant le même principe des diagonales qui font contraste en s'éloignant. L'œuvre fut peinte pour le maître-autel de l'église Sainte-Marie-Madeleine, généralement appelée la *Convertita*, qui se trouvait anciennement sur le Corso mais fut supprimée sous Napoléon, ce qui explique la présence de l'œuvre à la Pinacothèque. D'après Fabrizio Mancinelli (*The Vatican Collections*, 1983, nº 87), Paul V avait chargé le cardinal Aldobrandini de restaurer l'église endommagée par un incendie en 1617. La commande put être donnée au Guerchin avant la mort du cardinal, survenue en 1621, car une gravure de G.B. Pasqualini inspirée du retable est datée de 1622.

Le tableau est assez inusité, tant par sa forme peu courante pour un retable que par son iconographie. Plutôt que de montrer Madeleine gémissant dans la nature, le Guerchin la représente en deuil au tombeau du Christ gardé par deux anges, dont l'un lui montre un clou, tandis que la couronne d'épines et le vêtement du Christ reposent sur le sépulcre de pierre. Denis Mahon a fait remarquer (1968, p. 112) que les personnages ont gagné une qualité sculpturale sur ceux des œuvres émiliennes antérieures du Guerchin.

C.J.

6

Andrea Sacchi (ROME 1599–ROME 1661)

Saint Grégoire et le Miracle du corporal

Huile sur toile, 285 × 207 cm
Révérende Fabrique de Saint-Pierre
(Inv. 1700)

Saint Grégoire le Grand fut pape à la fin du VIe siècle. Issu d'une famille patricienne, il fut formé dans l'administration romaine avant de se retirer de la vie publique à l'occasion d'une conversion religieuse. En 579, il fut envoyé comme représentant pontifical à la cour de Byzance, pour être rappelé en 586 à titre de conseiller du pape Pélage II. Celui-ci ayant succombé à la peste en 590, Grégoire fut choisi pour lui succéder. Menacé par les invasions lombardes, Grégoire dut payer un lourd tribu pour sauver la ville. Par conséquent, la population en vint de plus en plus à le considérer comme son chef temporel aussi bien que spirituel, et la ville acquit ainsi une certaine indépendance par rapport à l'Empire d'Orient. Grégoire modernisa l'administration des lointaines provinces pontificales de Sicile, d'Afrique, de Corse, de Sardaigne et de Gaule. Il correspondit aussi avec les patriarches de l'Église d'Orient à Antioche, Jérusalem, Alexandrie et Constantinople. Ayant lui-même beaucoup écrit sur les choses spirituelles, il modifia la liturgie pour faire participer le public laïque à la messe. En 597, il envoya des missionnaires en Angleterre, sous la direction de saint Augustin de Canterbury. Il fut nommé l'un des quatre Pères de l'Église d'Occident en 1298.

Grégoire ayant été inhumé dans la basilique Saint-Pierre, il était logique que la Congrégation de la Fabrique désirât un retable représentant l'un des événements de sa vie. Le choix d'Andrea Sacchi fut probablement proposé par son premier protecteur, le cardinal del Monte. Ayant touché une avance en janvier 1625, Sacchi avait terminé le retable et demandé paiement dès septembre 1627 (voir Ann Sutherland Harris, *Andrea Sacchi*, Oxford, 1977, p. 3 *sqq.* et 52, no 9). Le tableau achevé de Sacchi est une composition habile qui doit beaucoup à l'exemple de Barocci, particulièrement pour la chaleur des couleurs et la richesse des matériaux des vêtements. Le gigantesque arrière-plan architectural du tableau fait écho aux proportions monumentales de Saint-Pierre elle-même.

Le sujet illustre l'un des miracles attribués au pape Grégoire et dont le titre demande quelques précisions. Le corporal est une pièce de lin blanc sur lequel le calice et la patène sont déposés pendant la messe. Un ancien rite chrétien prescrivait que le linge devait être dépourvu de toute broderie, à l'image du linceul avec lequel le Christ aurait été enseveli. Essen-

tiellement, la scène représente le miracle du *brandeum* ou, bandelette de lin que l'on vénérait car elle avait été en contact avec les corps des saints et des martyrs chrétiens, selon Jean Diacre (livre II, para. 42; il existe une collection de *brandea* aux Musées du Vatican.) Ici, les légats ou ambassadeurs d'une puissance qui n'est pas nommée – mais qui sera plus tard associée à l'empereur Constantin ou à sa fille Constantia – ayant demandé à Grégoire des reliques, ce dernier leur remit des *brandea* enchassés dans des pyxides. Ouvrant celles-ci sur le chemin de retour, ils n'y virent que des bandes de lin; ils retournèrent à Rome pour s'en plaindre au pape, qu'ils trouvèrent en train de célébrer la messe. Grégoire, en réponse à leur incrédulité, s'empara d'un linge, le transperça avec un couteau et en fit couler du sang, montrant ainsi que le textile avait acquis la nature corporelle de la relique avec laquelle il avait été en contact. Dans la *Légende dorée* de Jacques de Voragine, le linge en question est un lambeau de la dalmatique de Jean l'Évangéliste. La confusion entre *brandeum* et corporal tient sans doute au fait que le miracle s'est produit alors que Grégoire était en train de célébrer la messe.

La composition de Sacchi montre les ambassadeurs étonnés du miracle qui se produit sous leurs yeux. L'un d'eux, à gauche, et le diacre, à droite, tiennent deux des pyxides, tandis que le saint, portant la chasuble, l'étole et le manipule, se tient à l'autel sur lequel on voit la tiare papale, la colombe du Saint-Esprit qui l'accompagne habituellement étant représentée en vol au-dessus de sa tête.

Le succès du retable de Sacchi lui valut la protection de la famille Barberini et d'autres commandes pour Saint-Pierre. Comme la plupart des œuvres importantes de l'époque, le *Miracle de saint Grégoire* de Sacchi fut remplacé à Saint-Pierre par une copie en mosaïque au XVIIIe siècle. Elle fut elle aussi transportée à Paris pour le Musée Napoléon. À son retour, elle fut d'abord exposée à la Pinacothèque qui venait d'être fondée, mais fut par la suite transportée à la Salle Capitulaire de Saint-Pierre; nettoyée en 1983 – révélant de nombreux repentirs –, elle fut placée de nouveau dans la Pinacothèque vaticane.

C.J.

7

Nicolas Poussin (LES ANDELYS 1594–ROME 1665)

*Le Martyre de saint
Érasme*   1629

Huile sur toile, 320 × 186 cm
Inscr. b.g. *Nicolaus Pusin fecit*
Pinacothèque vaticane (Inv. 394)

Poussin arriva à Rome en 1624, après un bref séjour à Venise, dans le sillage du poète napolitain Giovanni Battista Marino, dit le Cavalier Marin (mort en 1623), qui avait fait partie de la maison du cardinal Aldobrandini avant de devenir favori à la cour de Marie de Médicis. Poussin avait fait des dessins pour lui à Paris d'après des scènes des *Métamorphoses* d'Ovide. Les lettres de recommandation de Marin l'amenèrent finalement au cardinal Francesco Barberini, qui, à son retour de Paris en 1626, commanda au jeune artiste l'un de ses premiers chefs-d'œuvre, la *Mort de Germanicus*. Ce tableau, qui se trouve aujourd'hui au Museum of Fine Arts de Minneapolis, montre que Poussin avait mis à profit les années qui s'étaient écoulées depuis, en étudiant l'Antiquité romaine, peut-être à l'instigation de l'amateur d'antiquités bien connu Cassiano dal Pozzo, secrétaire et bibliothécaire du cardinal Francesco. L'œuvre fut livrée en janvier 1628 (voir P. Rosenberg, « La Mort de Germanicus », *Revue du Louvre*, vol. 197, p. 13), et son succès incita le cardinal Barberini à négocier le mois suivant l'attribution à Poussin de l'importante commande du retable qui devait représenter à Saint-Pierre, saint Érasme, martyr des débuts de l'ère chrétienne. Cette œuvre, d'envergure beaucoup plus imposante que le *Germanicus*, est exécutée dans une veine tout à fait différente, et montre que Poussin avait maîtrisé l'aspect dramatique et le langage rhétorique de la peinture baroque. On explique comment il parvint à cette maîtrise dans la prochaine notice, consacrée à l'esquisse à l'huile de l'artiste pour cette peinture.

Érasme, évêque de Formia, fut martyrisé durant les persécutions de Dioclétien en 303. Une lettre de 590 du pape Grégoire le Grand à l'évêque de Formia atteste que le corps d'Érasme était conservé dans la cathédrale de cette ville. L'histoire de son martyre par éviscération voulant que ses entrailles aient été enroulées sur un guindeau est sans doute apocryphe. L'autel consacré à la mémoire de ce saint dans l'ancienne basilique Saint-Pierre date probablement de la même époque que la lettre du pape Grégoire. Un manuscrit de Jacopo Grimaldi, archiviste de la basilique, mentionne qu'il fut emporté à l'époque où la vieille église fut démolie pour la construction de la nef de Maderno et, en 1624, la Congrégation de la Révérende Fabrique de Saint-Pierre décida que l'autel serait placé dans le transept droit de la nouvelle basilique, à côté de celui qui était dédié à saint Processe et

à saint Martinien (voir cat. nº 9). Poussin ne reçut que le 5 février 1628 la commande d'un retable peint (O. Pollak, *Die Kunsttätigkeit unter Urban VIII: Die Peterkirche in Rom*, Vienne, 1931, p. 549; voir Anthony Blunt, *The Paintings of Nicolas Poussin*, Londres, 1966, nº 97). Le dernier paiement fait à l'artiste est daté du 10 novembre 1629, mais il s'agit peut-être d'un boni car les documents concernant le paiement plus important du 12 juillet 1629 font état d'un tableau achevé. Sandrart raconte que le retable de Valentin avec saint Processe et saint Martinien, terminé la même année fut mieux accueilli, mais ce pourrait être une préférence personnelle de l'auteur. La palette beaucoup plus légère de Poussin et les éléments classiques qui tempèrent l'aspect dramatique de la scène en donnent un rendu plus moderne qui devait avoir une influence considérable.

En raison de son emplacement (qui serait certainement un lieu de pèlerinage pour les artistes français aussi longtemps que l'Académie enverrait des pensionnaires à Rome) *Le Martyre de saint Érasme* constitua un prototype des scènes de martyre, dont les éléments typiques étaient, outre le martyr lui-même, un prêtre montrant l'image sculptée d'un dieu païen, un soldat romain à cheval chargé de l'exécution, une représentation symbolique de l'architecture romaine et des anges apportant à la malheureuse mais triomphante victime la palme du martyre.

D'après Fabrizio Mancinelli, le retable de Poussin fut remplacé au XVIIIᵉ siècle par une copie en mosaïque et envoyé au palais du Quirinal. Il fut transporté à Paris avec le reste du butin de Napoléon et installé à son retour à la Pinacothèque fondée par le pape Pie VII (*The Vatican Collections*, nº 86).

C.J.

8

Nicolas Poussin (LES ANDELYS 1594–ROME 1665)

Le Martyre de saint Érasme,
esquisse peinte, 1628

Huile sur toile, 100 × 74 cm
Musée des beaux-arts du Canada,
Ottawa (Acq. 16992)

Il s'agit d'une esquisse à l'huile, ou *modello*, achevée pour le retable de Poussin, commandée le 5 février 1628 (voir cat. n° 7). Il semble qu'il y ait eu au départ une certaine confusion à propos du choix de l'artiste à qui on ferait cette commande (voir Giuliano Briganti, « L'altari di sant'Erasmo, Poussin e il Cortona », *Paragone*, n° 123, 1960, p. 16–20, pl. 24). Ce n'est qu'après plusieurs faux départs, et après le retrait de Pierre de Cortone que le cardinal Francesco Barberini intervint et proposa Poussin pour l'autel de saint Érasme.

C'était une occasion extrêmement intéressante pour le jeune artiste, mais Poussin ne fut pas entièrement libre de choisir sa façon de représenter le sujet. Deux précédents existaient, non loin de là. D'abord, un retable anonyme et sans date sur le même sujet avait décoré la vieille basilique Saint-Pierre; il fut rejeté, en raison, soit de son état, soit de sa qualité, qui ne fut peut-être pas jugée suffisante pour le nouvel intérieur. Il est représenté dans les gravures de treize retables de la vieille basilique Saint-Pierre exécutées par Jacques Callot (Lieure, n° 28). Ensuite, Poussin ne pouvait pas ignorer le dessin présenté d'abord par Cortone pour ce retable. En outre, il est possible qu'il soit aussi allé voir le tableau sur ce sujet que Carlo Saraceni venait de peindre pour la cathédrale de Gaète. La gravure de Callot et la peinture de Saraceni montrent toutes deux la scène devant l'empereur Dioclétien, tandis que le dessin de Cortone lui avait substitué ce qui semble être une statue de Minerve dans une niche. Là, un prêtre, penché sur Érasme étendu en diagonale, pointe vers l'arrière en contrapposto vers Minerve à l'instar des fresques de l'église Sainte-Bibiane (1624) de Cortone. Poussin reprend cet élément, observable dans ses deux esquisses qui nous sont parvenues et aussi dans la composition définitive (voir A. Blunt, *The Drawings of Nicolas Poussin*, Londres, 1974, vol. V, p. 85).

Dans ses dessins, Poussin essaya diverses solutions, d'abord une composition où l'énergie iradiait du centre vers la périphérie, comme dans le *Martyre de saint Matthieu* du Caravage de l'église Saint-Louis-des-Français, de Rome et le *Massacre des Innocents* du Guide, qui se trouvait à l'origine à l'église Saint-Dominique de Bologne (que Poussin vit probablement en se rendant à Rome), avant de revenir à la composition de Cortone, avec son axe diagonal. Blunt a signalé également les éléments vénitiens,

comme l'accent vertical produit par les colonnes, emprunté à la célèbre Vierge de la famille Pesaro, œuvre de Titien conservée à l'église Frari à Venise. La palette plus légère et la qualité picturale évidentes dans la maquette et le retable lui-même sont attribuables autant au regain d'intérêt pour la peinture vénitienne que suscitaient à l'époque les *Bacchanales* de Titien, conservées dans la collection Aldobrandini, qu'à l'imitation des Carracci et de l'école bolonaise. Tous ces éléments sont présents dans l'esquisse à l'huile, à part quelques variantes mineures, comme les colonnes qui ne sont pas encore cannelées, et le couteau et la pierre, détails du premier plan éliminés dans le tableau. La scène représentée dans l'esquisse est aussi légèrement plus large que celle du tableau, où la patte antérieure levée du cheval de gauche et une partie de la colonne de droite sont coupées.

Cette esquisse est mentionnée dans un inventaire de la collection du cardinal Francesco Barberini datant de 1630. Des copies sont aussi mentionnées dans les archives Barberini, dont l'une peut être identifiée avec celle qui faisait partie de la collection de feu le marquis Giovanni Incisa della Rochetta (aujourd'hui au palais Barberini). L'esquisse, tout comme la *Mort de Germanicus* du même artiste, demeura dans la famille de celui-ci jusqu'au début du XXᵉ siècle. Elle fut achetée par le Musée des beaux-arts du Canada en 1972 et fit l'objet d'une publication du Musée rédigée par Jane Costello en 1975. Son cadre, qui n'est pas le cadre original, est cependant de toute évidence un cadre Barberini de l'époque, comme l'indique le motif d'abeilles et de lauriers qui le décore. Il a été acheté séparément à Rome.

C.J.

9

Valentin de Boulogne (COULOMMIERS-EN-BRIE 1592–ROME 1634)

Le Martyre de saint Processe et saint Martinien 1629

Huile sur toile, 302 × 192 cm
Pinacothèque vaticane (Inv. 381)

Processe et Martinien étaient deux soldats romains chargés de garder saint Pierre dans la prison Mamertine. Celui-ci les baptisa avec l'eau d'une source qu'il fit miraculeusement couler dans sa cellule. Condamnés par l'empereur Néron, ils furent martyrisés sur la via Aurelia, où on trouve aujourd'hui leur tombe et où une basilique fut érigée par la suite. Sous le règne du pape Pascal Ier (817–824), on transporta leurs reliques à Saint-Pierre.

En raison de leur lien avec le saint titulaire et parce qu'ils répondaient aux recommandations de la Contre-Réforme, qui voulait proposer à la vénération des fidèles des martyrs de l'église primitive, la Congrégation de la Révérende Fabrique de Saint-Pierre décida qu'un retable honorerait leur mémoire dans la nouvelle basilique. Au début, il y eut une certaine incertitude au sujet du peintre auquel on ferait appel. Des documents démontrent que le 10 septembre 1626, la commande fut d'abord accordée au peintre bolonais Giacomo Sementi, ancien élève du Guide. Mais le 14 mai de l'année suivante, c'est le nom de Pierre de Cortone qui apparaît vis-à-vis la citation de la chapelle de saint Processe et saint Martinien (O. Pollak, *loc. cit.*, p. 78 et 85). Peu après, à la demande du cardinal Francesco Barberini, la commande fut accordée à Valentin (9 mai 1629; Pollak, p. 541.) L'artiste romain Giuseppe Passeri ajouta quelques années plus tard une scène représentant le baptême de Processe et de Martinien par saint Pierre.

Valentin arriva à Rome peu de temps après la mort du Caravage et son œuvre, comme celui de Manfredi et de Vouet, fut profondément influencé par le clair-obscur du grand peintre et, dans une certaine mesure, par ses thèmes. Habitant via Margutta, dans la paroisse Sainte-Marie-du-Peuple, Valentin fréquenta les artistes du Nord qui faisaient de ce quartier de Rome leur domaine. On retrouve un peu de leur existence bohème dans ses scènes de taverne, où des joueurs de cartes, des gitans et des musiciens sont réunis autour d'une table.

Ses biographes affirment que Valentin fut protégé par le cardinal Francesco Barberini, dont il peignit un portrait avant 1628, et pour lequel il produisit une *Décollation de Jean-Baptiste*, maintenant perdue, et une *Allégorie de Rome* (aujourd'hui à la villa Lante, près de Rome), sujet plutôt exceptionnel dans les cercles caravagistes avec son traitement grandiose et rhétorique. Généralement, Valentin pratiquait une forme moins extrême de caravagisme que ses contemporains et, chez lui, le clair-obscur pur des caravagistes est atténué par un sens de la couleur et de la texture. Les personnages qui animent ses compositions ont également un charme unique et, parfois, un attrait provocateur. Valentin mourut à Rome au début de la quarantaine. À son retour en France, Nicolas Tournier, qui avait été son élève à Rome, contribua à faire aimer son œuvre, à laquelle on prit sans doute goût dans les cercles aristocratiques grâce au cardinal Mazarin, qui avait fait partie de la maison Barberini avant d'occuper le poste de nonce à Paris. Mazarin possédait un certain nombre de tableaux de Valentin, qui revinrent à la couronne française à sa mort.

Le *Martyre de saint Processe et de saint Martinien*, la seule commande connue que reçut l'artiste pour un retable, s'oppose à la plupart de ses compositions par sa grande échelle et sa verticalité. Il est évident que Valentin s'inspira du *Martyre de saint Matthieu*, du Caravage, qui se trouve dans la chapelle Contarelli de l'église Saint-Louis-des-Français : même fond sombre, même spirale dramatique de violence entourant les personnages centraux et même ange qui descend avec la palme du martyre. On sent également, particulièrement d'après le personnage de droite qui tourne le dos aux spectateurs, que l'artiste s'est inspiré de la fresque du Dominiquin, *La Flagellation de saint André*, qui se trouve dans l'oratoire de saint André, à Saint-Grégoire-le-Grand et, encore davantage, du *Martyre de saint Érasme*, que Poussin venait de terminer dans la chapelle adjacente de Saint-Pierre. Chez Valentin, la position du martyr du premier plan, qui est attaché au chevalet, rappelle particulièrement le torse étiré d'Érasme. Valentin introduisit également dans la scène, mais dans une position plus effacée que chez Poussin, un prêtre romain qui pointe encore du doigt la statue païenne sur laquelle il vient d'attirer l'attention de Processe et Martinien. À l'instar de la plupart des tableaux de Saint-Pierre, celui-ci fut remplacé au XVIIIe siècle par une copie en mosaïque.

C.J.

10

Andrea Sacchi (ROME 1599–ROME 1661)

Portrait du cardinal Lelio Biscia

Huile sur toile, 134,3 × 99,7 cm
Musée des beaux-arts du Canada,
Ottawa (Acq. 305)

C'est Ann Sutherland Harris qui, dans le *Bulletin de la Galerie nationale du Canada* (n° 14, 1969, p. 9–15; voir également sa monographie sur l'artiste, Oxford, 1977, n° 9), a supposé que ce portrait non identifié d'un cardinal puisse être celui du cardinal Lelio Biscia (v. 1573–1638). Elle a également confirmé l'attribution de l'œuvre à Andrea Sacchi, d'abord proposée par Hermann Voss, puis endossée par Robert Engass. Si on élimine systématiquement tous les autres portraits de cardinaux qu'on sait avoir été exécutés par Sacchi, il est inévitable que le modèle soit Biscia. D'après un inventaire de l'atelier de l'artiste constitué à sa mort, nous savons qu'il s'y trouvait un « ritratto con il Cardle. Biscia ». Cette déduction est confirmée par la mention d'un portrait gravé de Biscia dans *Elogia Virorum Literis & Sapientia Illustrium…*, de J.F. Tomasini, publié à Padoue en 1644 (vol. II).

Le portrait est manifestement inachevé, ce qui expliquerait qu'il soit demeuré dans l'atelier de l'artiste et qu'il ne porte aucun autre indice permettant de l'identifier que les traits du modèle, qui sont représentés avec une sympathie évidente. Il tient dans la main droite une barrette de cardinal, et dans la main gauche un document où, une fois le tableau achevé, les noms du modèle et de l'artiste auraient pu être inscrits. Le fond n'a pas été travaillé, et les vêtements sont traités avec un éclat sommaire qui aurait sans doute été atténué si Sacchi avait achevé le portrait.

Lelio Biscia fut créé cardinal le 19 janvier 1626. Ludwig von Pastor le décrit comme très proche du cardinal Ludovisi (*History of the Popes*, Londres, 1938, vol. XXVIII, p. 49). À la fin de 1626, son nom apparaît dans les documents relatifs aux versements effectués par la Congrégation de la Révérende Fabrique de Saint-Pierre, et il revient assez souvent pour donner à entendre qu'il faisait partie de la Congrégation (voir O. Pollak, 1931, p. 83 *sq.*, 230, 232, etc.). Il eut sans doute des contacts avec le Guide, qui retourna à Rome pour peindre, à la basilique, une fresque de la Trinité, le même malheureux retable dont l'exécution devait être confiée à Pierre de Cortone après le départ soudain du Guide, permettant ainsi à Poussin de peindre le *Martyre de saint Érasme* (cat. n° 7). D'après le biographe du Guide, Malvasia, le cardinal Biscia commanda alors au Guide un tableau représentant Marie-Madeleine, mais l'artiste, n'ayant pas encore reçu d'avance, le donna au cardinal Francesco Barberini, qui l'avait admiré dans son atelier (voir D. Stephen Pepper, *Guido Reni*, New York, 1984, p. 258, n° 118, pour plus de détails).

Le nom de Biscia est associé à l'autre commande, celle-là non personnelle, mais plus importante. En tant que vice-protecteur de l'ordre des camaldules, il aurait été pour quelque chose dans l'attribution à Andrea Sacchi en 1631 de la commande de sa célèbre *Vision de saint Romuald*, et il est possible qu'il ait commandé son propre portrait à l'artiste à cette époque. Comme tant d'autres tableaux de la présente exposition, celui-ci fut emporté à Paris par Napoléon et, une fois rendu, il fut intégré à la collection de la Pinacothèque vaticane. Curieusement, à la mort de Sacchi, une petite version de l'œuvre se trouvait dans son atelier avec ce portrait. Ann Sutherland Harris fait observer que Sacchi utilisa le portrait inachevé de Biscia comme modèle pour peindre le portrait du cardinal Giori.

C.J.

11

Pietro Berrettini, dit Pierre de Cortone (CORTONE 1596–ROME 1669)

La Vision de saint François

Huile sur toile, 227 × 151 cm
Pinacothèque vaticane (Inv. 405)

Ce sujet, et d'autres représentant la stigmatisation de saint François et saint François adorant le Christ crucifié, était courant dans la peinture du XVIIᵉ siècle et était lié à la Contre-Réforme, qui préconisait l'art comme moyen de raviver la foi chrétienne. L'ordre des capucins, fondé en 1529 et consacré à saint François, joua un rôle important dans la Réforme catholique et dans la propagation des thèmes franciscains, comme l'attestent les célèbres retables de Federico Barocci (à Urbino) et de Ludovico Carracci (à Cento), et de petites œuvres pieuses, comme celles du Caravage (maintenant à Hartford) et d'Annibale Carracci (voir cat. nº 2). Le rendu de la scène par Pierre de Cortone est très direct et décrit comment saint François reçut l'Enfant Jésus dans ses bras au cours d'une révélation qu'il avait eue de la Vierge. Au premier plan, à gauche, on voit le crucifix qu'il avait contemplé et son bréviaire, tandis qu'à l'arrière-plan, son compagnon, saint Léon, récite le chapelet.

Pierre de Cortone avait d'abord exécuté cette même composition dans un grand retable pour la chapelle Montauto de l'église Santa Annunziata, à Arezzo (v. 1641; voir Giuliano Briganti, Pietro da Cortona, Florence, 1962, p. 223, nº 80, où il est fait mention de deux *bozzetti* ou *modelli* dans la collection de l'Ermitage à Leningrad). Cette version fut commandée par le pape Alexandre VII, comme semblent l'indiquer les étoiles (son emblème) apparaissant sur le cadre – pour son palais d'été de Castel Gandolfo. Ce palais avait été construit par Urbain VIII, mais la décoration de l'intérieur fut en grande partie l'œuvre d'Alexandre VII. C'est là, pendant le pontificat de Fabio Chigi, que le Bernin construisit l'église dédiée à saint Thomas de Villeneuve, qui venait d'être canonisé; Pierre de Cortone fut également chargé d'en peindre le maître-autel.

L'origine toscane de Pierre de Cortone lui fut très utile, non seulement avec les Chigi, qui venaient de Sienne, mais avec les Barberini et les Sacchetti, dont les familles étaient également originaires de Toscane. À Rome, les œuvres de jeunesse de Pierre de Cortone étaient fortement marquées par l'Antiquité romaine, et il était donc naturel qu'il soit remarqué par le spécialiste de l'Antiquité Cassiano dal Pozzo. À la fin de 1624, suite à la découverte de la tombe de sainte Bibiane, Urbain VIII le chargea de peindre des fresques représentant des scènes de la vie et du martyre de la sainte (voir cat. nº 16 pour plus de renseigne-

ments sur cette sainte). En 1627, il présenta un projet pour le retable de saint Érasme qui devait être peint à Saint-Pierre (voir cat. nº 8), mais il se tourna plutôt vers la commande plus avantageuse d'une peinture de la Trinité dans la chapelle du Saint-Sacrement de la même basilique. Peu après, il reçut commande de peindre des fresques sur le vaste plafond du grand salon du palais Barberini, ce qui devait établir sa réputation de décorateur indispensable. Les Médicis lui demandèrent par la suite de peindre une série de salles du palais Pitti, à Florence, et les Pamphilj lui passèrent plus tard une commande pour le plafond de la galerie de leur palais situé sur la place Navone. Pendant un certain nombre d'années, il peignit également des fresques dans la Chiesa Nuova, d'abord dans la sacristie, puis dans l'énorme coupole, et enfin des scènes de la vie de saint Philippe Neri sur le plafond de la nef.

Pierre de Cortone était manifestement assez habile pour exécuter des œuvres aussi vastes sans perdre la fraîcheur et la virtuosité qui caractérisent ses petites œuvres. En 1652, il fut appelé à faire des cartons pour les mosaïques qui devaient décorer diverses coupoles de Saint-Pierre et, en 1655, le pape nouvellement élu, Alexandre VII, le chargea de décorer la galerie de son palais du Quirinal (qui allait être presque entièrement détruite à l'époque napoléonienne, mais on trouvera un bon exposé à ce sujet dans S. Jacob, « Pierre de Cortone et la décoration de la galerie d'Alexandre VII au Quirinal », *Revue de l'Art*, vol. XI, 1971, p. 42–54).

C.J.

12

Carlo Maratta (CAMERANO 1625–ROME 1713)

Portrait du pape Clément IX
1669

Huile sur toile, 145 × 116 cm
Pinacothèque vaticane (Inv. 460)

Giulio Rospigliosi avait commencé sa carrière sous Urbain VIII. Il avait des talents de poète et rédigea le livret d'un des premiers opéras, *S. Alessio*, monté au palais Barberini. Il fut un grand mécène, et Poussin ainsi que le Lorrain exécutèrent des tableaux pour lui. De 1644 à 1653, il fut nonce à Madrid, et il fut créé cardinal en 1657, sous Alexandre VII, auquel il succéderait à peine dix ans plus tard sous le nom de Clément IX (pape de 1667 à 1669). (Voir fig. II et cat. n° 32 pour les œuvres se rapportant à Clément IX.)

Carlo Maratta fut formé à l'atelier d'Andrea Sacchi et était un dessinateur accompli. Il peignit surtout des retables, qui devinrent de plus en plus monumentaux et présentaient un mélange de tendances baroques et classiques, comme le montre le retable de saint Augustin pour l'église Sainte-Marie-des-Sept-Douleurs (1655), et la *Mort de saint François Xavier*, au Gésu (1674–1679). Les deux retables qu'il exécuta sur le thème de l'Immaculée Conception, celui de l'église Saint-Augustin, à Sienne, avec saint Thomas de Villeneuve et saint François de Sales, et celui commandé par le cardinal Cybo pour Sainte-Marie-du-Peuple, et représentant l'Évangéliste expliquant la doctrine à saint Grégoire, à saint Jean Chrysostome et à saint Augustin, sont très importants, et manifestent un net progrès dans l'interprétation iconographique par rapport aux œuvres du Guide et de Murillo exécutées quelques années plus tôt. (Voir E. Mâle, *L'art religieux après le Concile de Trente*, Paris, 1932, p. 46–47.) Comme l'écrit Wittkower, « il rétablit le sentiment de la dignité de l'homme représenté dans des formes simples, grandes et plastiques, et avec une sincérité et une conviction morale sans pareilles à l'époque » (*Art and Architecture in Italy 1600–1750*, 3e éd. révisée, Harmondsworth, 1973, p. 337). Au cours du dernier quart du siècle, Maratta reçut toutes les grandes commandes artistiques de Rome. Comme Pierre de Cortone avant lui, il exécuta des cartons pour des mosaïques devant décorer le plafond de Saint-Pierre. Il peignit également la fresque qui décore le plafond du grand salon du palais Altieri.

Ce *Portrait du pape Clément IX* est un des portraits les plus remarquables du XVIIe siècle. Curieusement, les portraits des papes sont plus rares qu'on ne pourrait le croire, et la plupart des portraits bien connus sont d'imposants bustes en marbre ou en bronze, ou les statues posthumes ornant leur tombeau. Le portrait de Maratta s'inspire manifestement de celui que Velasquez avait exécuté d'Innocent X au cours d'une visite à Rome en 1650, et est tout aussi brillant. Les deux tableaux sont de même taille et représentent le pape, aux trois quarts, assis en biais par rapport au plan du tableau. D'après Bellori, le portrait de Clément est censé avoir été peint alors que le pape était déjà malade, et on dit même qu'il s'évanouit au cours d'une des séances de pose, mais l'artiste le représente dans toute la dignité de sa fonction. Le pontife paraît au sommet de sa puissance. Assis sur un trône portant des fleurons avec son insigne, il regarde le spectateur ; un livre repose dans sa main, et il y a une cloche sur la table, du côté opposé. À côté de la cloche, on voit un papier plié portant la dédicace et la signature de l'artiste. La luminosité qui anime le velours de ses habits est équilibrée par l'intensité de l'expression de son visage. Bellori décrit comment, après avoir vu le portrait par Maratta du cardinal Jacopo Rospigliosi, qui avait été élevé à la pourpre romaine en 1667, Clément IX avait commandé à Maratta son propre portrait. Le portrait du cardinal Jacopo se trouve aujourd'hui au Musée Fitzwilliam de Cambridge. Le portrait du pontife, qui appartenait à la collection Rospigliosi, fut vendu et, selon Fabrizio Mancinelli, fut acheté par Louis Mendelssohn, de Détroit, qui en fit don à Pie XI en 1931 (*The Vatican Collections*, n° 89). Amelia Mezzetti présente une liste de répliques autographes figurant dans les collections de l'Ermitage et du duc de Devonshire (voir son article fondamental, « Contributi a Carlo Maratti », *Rivista dell'Istituto Nazionale d'Archeologia e Storia dell'Arte*, vol. IV, 1955, p. 253–357).

C.J.

13

Gian Lorenzo Bernini, dit le Bernin (NAPLES 1598–ROME 1680)

Buste du pape Grégoire XV

Marbre, 83,2 (avec socle)
× 62,3 × 32,4 cm
Joey et Toby Tanenbaum, prêté au
Musée des beaux-arts de l'Ontario,
Toronto

★Exposé uniquement à Toronto

Il existe un très grand nombre de portraits de Grégoire XV, même s'il n'a régné que de février 1621 à juillet 1623. Cela peut s'expliquer en partie par la présence, ou plus exactement le retour, à Rome, à la suite de son élection, d'un certain nombre d'artistes bolonais pour qui ce pape préféra poser, dont le Guerchin, le Guide et le Dominiquin. Le buste de Grégoire XV par le Bernin, tout comme celui sculpté ultérieurement par l'Algarde, après la mort du souverain pontife, pour la sacristie de l'église Sainte-Marie-in-Vallicella est beaucoup plus noble que la plupart des tableaux, en partie parce que le pontife est représenté tête nue et les épaules couvertes d'une chape épiscopale. La nature du matériau utilisé explique que la barbe et la moustache soient plus clairement définies qu'en peinture. La barbe du pape représentée sur le buste du Bernin est carrée, proéminente et fortement découpée, tandis que la moustache est plus large et recourbée. Le front est plissé, et on remarque des veines aux tempes et des rides autour des yeux. Le Bernin a représenté les pupilles, à la différence du buste de Paul V, œuvre antérieure où les yeux sont vides; de plus, les lèvres sont entrouvertes. La chape que porte le pape, lourde sans aucun doute, car elle était brodée de fils métalliques, écrase les épaules du pontife, ce qui rappelle davantage le buste de Clément VIII par Taddeo Landini à la villa Aldobrandini, à Frascati, que celui de Paul V. Elle ajoute à l'impression de fatigue dégagée par le personnage.

Le journal de l'oncle du Bernin précise qu'en septembre 1621, le sculpteur avait exécuté trois bustes de Grégoire XV, un en marbre et deux en bronze, et qu'il avait reçu en récompense la croix de « Cavalierato di Cristo », ce qui lui permettait de porter désormais le titre de *Cavaliere* (voir Wittkower, *Gian Lorenzo Bernini*, Londres, 1981, p. 179–181, n° 12, où toutes les versions du buste sont examinées, sauf celle-ci). L'un de ces bronzes fut peut-être celui que coula Sebastiano Sebastiani pour le cardinal Scipione Borghèse, aujourd'hui au Musée Jacquemart-André, tandis que le buste Ludovisi est probablement celui qui se trouve au Museum of Art du Carnegie Institute, à Pittsburgh. Après le XVIIe siècle, on perd toute trace du buste en marbre, mais on peut supposer qu'il passa dans la collection des héritiers Ludovisi-Boncompagni.

Le buste de l'exposition est apparu sur le marché des objets d'art à Londres en 1978 et de nouveau en 1980. On sait qu'il avait été acheté en Italie au milieu du XIXe siècle par le cinquième comte de Lanesborough, dans la famille duquel il est resté jusqu'à ces dernières années, l'identité du sculpteur et du modèle ayant été oubliée entre-temps. Si on compare cette œuvre avec les bustes en bronze documentés de Grégoire XV, il ne fait aucun doute qu'ils représentent la même personne et qu'ils sont essentiellement identiques, sauf que, dans le buste en marbre, les bordures de la chape se rejoignent presque sur le bord inférieur de l'œuvre et que le détail des lèvres entrouvertes est plus prononcé. On est donc fortement tenté d'identifier ce marbre au Ludovisi manquant, même si on ne peut établir sa provenance d'après les documents et même si le traitement quelque peu mécanique des bordures de la chape cause quelque hésitation. Le professeur Irving Lavin, le seul spécialiste du Bernin qui ait mentionné ce buste dans un texte jusqu'à maintenant est convaincu de son authenticité et compte examiner la question plus en profondeur dans un prochain article (voir son article « Bernini's Bust of Cardinal Montalto », *Jahrbuch der Hamburger Kunsthalle*, vol. III, 1984, aussi paru dans *The Burlington Magazine*, janvier 1985, p. 32–38, fig. 44). La partie gauche du front a été légèrement endommagée, et de petits fragments se sont détachés du côté gauche de la chape, causés probablement par la chute d'un objet sur le buste même, car ni le nez ni la barbe n'ont été endommagés. Le tombeau de Grégoire XV, pourtant bien ultérieur, se trouve dans l'église familiale Saint-Ignace, dont le cardinal Ludovisi fit entreprendre l'édification en 1626 en l'honneur de la canonisation d'Ignace en 1622.

C.J.

14

Gian Lorenzo Bernini, dit le Bernin (NAPLES 1598–ROME 1680)

Buste du pape Urbain VIII
1632

Marbre, 94,7 (avec socle) × 68,8
× 34,4 cm
Musée des beaux-arts du Canada,
Ottawa (Acq. 18086)

★Exposé uniquement à Ottawa

Dans le brouillon d'une lettre adressée au Bernin, le 4 juin 1633, Lelio Guidiccioni vantait les bustes du pape et du cardinal Scipione Borghèse que le sculpteur avait exécutés l'année précédente. La lettre de Guidiccioni doit faire allusion au buste que le Bernin fit à Rome avant que le pape ne partît pour sa résidence d'été à Castel Gandolfo et à un autre buste en marbre du pontife qui appartint à la famille Barberini jusqu'à très récemment et qu'on peut voir maintenant à la Galerie nationale d'Art ancien au palais Barberini. La lettre est citée en entier par C. D'Onofrio dans *Roma vista da Roma*, Rome, 1967, p. 381–388. En effet, ces deux bustes en marbre sont identiques dans tous les détails, exception faite des plus minimes, et sont tous deux d'une très belle facture. On pourrait à bon droit se demander pourquoi deux bustes identiques auraient été commandés et pourquoi l'artiste aurait pris la peine de faire une réplique exacte d'une œuvre qu'il avait déjà créée, mais un examen attentif de l'effigie d'Ottawa en fournit l'explication. À l'arrière du bonnet du pape, on remarque très distinctement une fissure à la surface du marbre ainsi qu'un défaut mineur longeant le côté gauche de la mosette qui couvre son épaule. Il semblerait que ces défauts soient apparus à la surface alors que la sculpture était en voie d'achèvement, et que le Bernin ait décidé ou ait reçu instruction de sculpter un autre buste identique. Fait curieux, le même mauvais sort continua à s'acharner sur le sculpteur lorsqu'il fit ses deux bustes du cardinal Scipione Borghèse, œuvres dont le paiement figure dans un document de décembre 1632. Vu la proximité chronologique de ces bustes, on pourrait supposer que le marbre provenait d'une même carrière où des fissures similaires s'étaient produites au cours de la formation géologique de la pierre.

Ces quatre bustes comptent parmi les plus réussis du Bernin. (Fait intéressant à noter, l'artiste en avait fait des dessins préparatoires; ces portraits au crayon sont rares dans l'œuvre graphique du Bernin, même si l'artiste était enclin à faire des caricatures.) Les bustes ont les mêmes proportions, et sont tous plus grands que nature. Le buste d'Urbain VIII n'a pas la spontanéité de celui de Scipione, mais il le surpasse par sa monumentalité, plus en accord avec le sujet. Le Bernin avait déjà fait les bustes de Paul V et de Grégoire XV (cat. nº 13), comme il allait faire ceux de leurs successeurs, les papes Pamphilj, Chigi, Rospigliosi et Altieri; pourtant, ce portrait d'Urbain VIII a

une expressivité inhabituelle, tant au niveau de la sensibilité que de l'intensité avec lesquelles elle est exprimée, attribuée à l'intimité de l'artiste avec son modèle. De plus, le Bernin n'avait pas à représenter son modèle portant tous les insignes pontificaux, comme il avait dû le faire pour la statue du tombeau (1628). L'absence relative de recherche dans la disposition des plis du bonnet et de la mosette, imprime mouvement et vie à tout le marbre qui aurait pu paraître rigide, tandis que la présence des rides autour des yeux, le léger froncement des sourcils et l'angle très léger sous lequel se présente le visage contribuent à traduire à la fois la compassion et l'autorité du personnage saisies dans un moment éphémère. Guidiccioni fait remarquer que, même si le buste est sans bras, le léger soulèvement de l'épaule droite et la chute des plis de la mosette sont conçus de manière à laisser croire que le pape vient juste de lever sa main droite comme s'il voulait faire signe à quelqu'un de se lever (D'Onofrio, *loc. cit.*). Le Bernin a créé ici un portrait véritablement mémorable, et l'un des chefs-d'œuvre de la sculpture baroque.

On ne connaît pas véritablement tous les détails de la commande et on ne sait pas non plus où les bustes du pape Urbain VIII furent exposés. Dans son ouvrage intitulé *Aedes Barberinae ed Quirinalem* publié à Rome en 1642, Girolamo Teti mentionne que l'un des bustes et la réplique en bronze (cat. nº 15) se trouvent au palais Barberini. De nombreux bustes d'Urbain VIII sont mentionnés dans les archives Barberini, mais l'inventaire des biens du cardinal Antonio Barberini, soigneusement dressé quelques mois avant la mort de son oncle, mentionne expressément que le marbre se trouve dans la *Stanza di Parnaso* du palais Barberini (« Un ritratto di N. Sig.re Papa Urbano VIII – di marmo, con peduccio di marmo *di mano del Bernino* », voir M. A. Lavin, *Seventeenth-Century Barberini Documents and Inventories of Art*, p. 182 : IV, inv. 44, nº 684). On croit que la première version du buste se trouvait depuis la guerre dans une collection particulière en Suisse; c'est du moins ce que le professeur Wittkower annonça (« A New Bust of Pope Urban VIII by Bernini », *The Burlington Magazine*, vol. CXI, 1969, p. 60–64) et le Musée des beaux-arts du Canada l'acheta en 1974.

C.J.

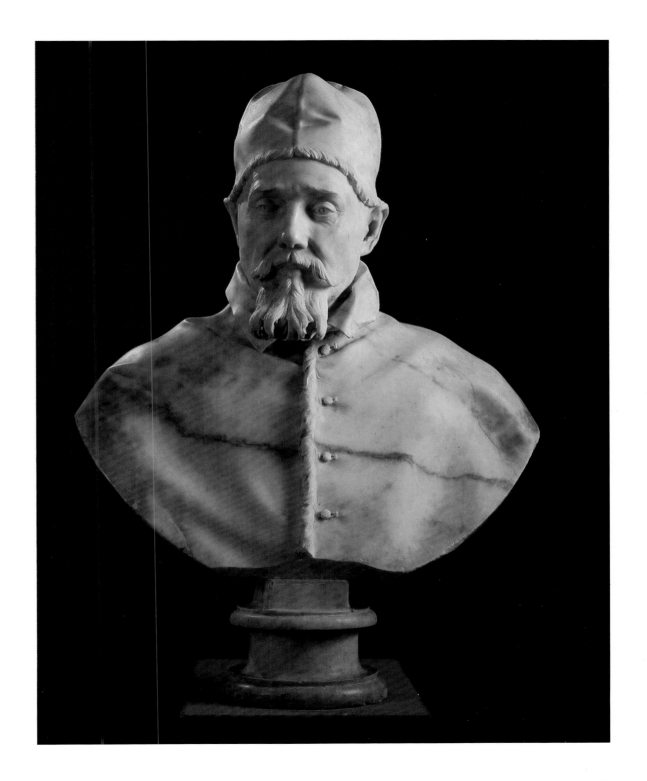

15

Gian Lorenzo Bernini, dit le Bernin (NAPLES 1598–ROME 1680)

Buste du pape Urbain VIII
1632

Bronze; 100 (avec socle) × 73
× 41 cm
Bibliothèque apostolique vaticane,
Musée Sacré (Inv. 2427)

Ce buste en bronze est une réplique du buste en marbre (voir cat. n° 14) que le Bernin fit du pape au cours de l'été 1632. Il est clairement documenté par une mention d'un piédestal qui fut apporté au palais Barberini vers la fin de la même année et sur lequel on précise qu'un buste en bronze du pontife devait être placé (voir I. Lavin, « Duquesnoy's "Nano de Créqui" and two busts by Francesco Mochi », *The Art Bulletin*, vol. III, 1970, p. 141, n° 65). L'année suivante, une niche en bois fut commandée pour ce buste à Giovanni Battista Soria; elle devait être insérée dans le lambris de la bibliothèque de ce palais (voir Valentino Martinelli, *I Ritratti dei Pontefici*, Rome, 1956, p. 38, n° 76). En 1902, la Bibliothèque du Vatican acheta le fonds de la bibliothèque Barberini, l'une des plus remarquables du XVIIe siècle, ainsi que le lambris, la niche et le buste (voir Olga Raggio, *The Vatican Collections*, n° 26). Il est évident que ce buste en bronze reproduit la version en marbre qui se trouve maintenant à la Galerie nationale d'Art ancien du palais Barberini, car les plis du drapé de l'épaule droite sont légèrement plus prononcés que dans la version d'Ottawa et le Bernin l'a en outre enjolivée en introduisant un pli horizontal dans la mosette. Ces deux éléments se retrouvent dans la version en bronze.

Aucun document connu ne révèle qui coula ce bronze pour le Bernin, mais nous savons que Sebastiano Sebastiani avait coulé ceux de Paul V et Grégoire XV dix ans plus tôt et que, une dizaine d'années après cette version d'Urbain VIII, Ambrogio Lucenti coulerait le magnifique buste en bronze qui se trouve encore dans la cathédrale de Spolète (R. Wittkower, éd. de 1981, p. 187, n° 19[5]). Peu après avoir été créé cardinal en 1606, Maffeo Barberini avait reçu l'évêché de Spolète. Urbain VIII entreprit la restauration de cette église, commandant au Bernin, en février 1640, l'énorme buste en bronze (1,32 m), qui le représente coiffé de la tiare papale et vêtu d'une chape richement brodée (les belles effigies de saint Pierre et saint Paul ne dénotent pas seulement l'invention habile du Bernin, mais aussi la très haute perfection technique du bronzier). Le Bernin traduit ici avec une sensibilité et une perspicacité remarquables l'effet des années sur le pontife, qui serait emporté deux ans plus tard (les paiements au Bernin s'échelonnent entre 1640 et 1642, et ceux faits à Lucenti, jusqu'en 1644).

La fonte du bronze posait à cette époque des difficultés telles que cette technique n'était en aucune manière moins valable et moins coûteuse que le marbre. C'était plutôt une question d'esthétique et l'on croyait peut-être le bronze plus durable, ce que le temps devait démentir. Peu après son élection, Urbain VIII avait confié au Bernin la direction de la fonderie du Vatican. En 1625, Urbain donna à l'hôpital de la Trinité-des-Pèlerins (qui soignait les pèlerins, particulièrement nombreux en cette année jubilaire), un buste en bronze à sa propre effigie, mais, comme le buste du pape Innocent X par l'Algarde (également coulé par Ambrogio Lucenti), ce buste devait disparaître durant l'invasion napoléonienne et fut probablement fondu (voir Jennifer Montagu, *Alessandro Algardi*, New Haven et Londres, 1985, vol. II, n° 155). Un autre buste en bronze d'Urbain figurait au catalogue de la collection de Louis XIV et est peut-être identifiable avec celui qui se trouve aujourd'hui au Louvre (Wittkower, op. cit., n° 19[4]).

C.J.

Buste reliquaire de sainte Bibiane

Argent coulé et ciselé. Socle de bronze doré, portant au verso l'inscription gravée : *EX. DONO. FABRITII. LOCATELLI. ORSINI/CAN. BAS. S. MARIAE MAIORIS/ MDCCCIV / F RIGHETTI. F ROMAE.*, armoiries de F Locatelli sur les parois latérales, médaillon ovale sur le devant, argent, portant l'inscription : *S. /BIBI/ANA*
28 × 17,5 × 13,5 cm
Sacristie de Sainte-Marie-Majeure, Rome

L'inscription gravée au dos de la base nous apprend qu'il s'agit d'un don de Fabrizio Locatelli, chanoine de Sainte-Marie-Majeure, et qu'elle fut fabriquée en 1804 à Rome par F Righetti. Sandra Vasco Rocca a proposé d'identifier le buste, qu'elle fut la première à publier, comme étant celui exécuté entre l'été 1609 et l'été 1610 par Pietro Gentili (1563–1626; voir S. Vasco Rocca, « Gli argenti di S. Maria Maggiore : reliquiari di Pietro Gentili, Benedetto Cacciatore, Santi Lotti e della bottega di Vincenzo I Belli », *Storia dell'Arte*, vol. XV, 1983, 48, p. 117–127, fig. 1–4). Cette supposition semblerait être confirmée par les documents de paiement, qui font état d'un projet de Gentili dont la description pourrait laisser supposer qu'il s'agit du même buste. Il y a néanmoins quelques légers écarts entre ce buste et celui décrit dans les documents, comme le diadème de fleurs dorées qu'il serait difficile d'envisager comme ayant pu faire partie du buste actuel. Toutefois, le ruban dans les cheveux de sainte Bibiane représente bien un diadème au sens original du mot, et succéderait donc à la couronne de fleurs qui surmontait le buste de Gentili et un autre plus ancien mentionné dans un inventaire de 1480.

Aucune autre œuvre de Gentili ne nous est parvenue et il est impossible de faire des comparaisons avec les œuvres d'autres artistes vers 1610. L'absence d'œuvres semblables au buste de sainte Bibiane pourrait signifier que cette œuvre « novatrice » devrait effectivement être attribuée à Gentili. Parmi d'autres œuvres de Gentili, la sainte Bibiane aurait peut-être semblé moins isolée et exceptionnelle pour une œuvre de cette époque. Cependant, un orfèvre aurait presque certainement travaillé à partir de modèles fournis par un sculpteur (voir J. Montagu, *Alessandro Algardi*, New Haven et Londres, 1985, vol. I, p. 10). Or, rien n'indique que Gentili ait fourni ses propres modèles à d'autres occasions et le fait qu'il n'en soit pas fait mention dans les documents de paiement pour la sainte Bibiane signifie peut-être simplement qu'il n'eut pas à en être remboursé. Le client aurait pu obtenir le modèle au cours d'une autre transaction avec un sculpteur. Par conséquent, il n'est pas exclu que le buste soit une œuvre plus tardive, destinée à remplacer celui par Gentili mentionné dans le document (voir p. 39, n. 17). Dans ce cas, il reste à savoir quand cette substitution eut lieu et qui dessina et coula le buste.

Sandra Vasco Rocca souligne que les quelques œuvres comparables antérieures à 1610 (comme celles de Gulielmo della Porta et Stefano Maderno, à l'exception de la *Vierge de l'Annonciation* [1603–1608] de Francesco Mochi) ont moins d'affinités avec la sainte Bibiane que d'autres sculptures ultérieures qu'elle cite également. L'œuvre qui s'en rapproche le plus, tant par sa composition que par l'impression de classicisme qu'elle produit, est la sainte Suzanne de Duquesnoy, datée de 1629–1631 (voir J. Montagu, *op. cit.*, vol. I, p. 17). La *Comtesse Matilde* du Bernin, datée de 1633–1637 (voir R. Wittkower, *Gian Lorenzo Bernini, the sculptor of the Roman baroque*, Londres, 1966, cat. n° 33) pourrait presque être sainte Bibiane elle-même, qui aurait grandi se transformant en noble matrone. Un certain maniérisme subsiste encore dans les traits idéalisés et le profil classique des œuvres précédentes. Toutefois, la sainte Bibiane atteint une grâce rarement vue avant que le Bernin ne traduisît dans ses sculptures l'idéal de beauté féminine déjà personnifié en peinture dans les œuvres d'Annibale Carracci à la galerie Farnèse (1597–1604), par la *Sainte Cécile* du Dominiquin à Saint-Louis-des-Français (1613–1614), et par l'*Aurore* du Guide (également 1613–1614).

L'église Sainte-Marie-Majeure possédait un buste reliquaire antérieur de sainte Bibiane – celui mentionné dans un inventaire de 1480 – qui contenait la tête de la sainte. La relique aurait été transférée au buste reliquaire de Pietro Gentili de 1609–1610. En 1624, les autres restes de la sainte furent retrouvés à l'église Sainte-Bibiane. À cette occasion, le pape Urbain VIII commanda au Bernin la rénovation de l'église et la sculpture en marbre de Bibiane destinée au maître-autel, alors que Pierre de Cortone peignait des fresques relatant la vie de la sainte. L'achèvement, en 1626, de la nouvelle image du Bernin (voir R. Wittkower, *op. cit.*, cat. n° 20), occasionna peut-être le remplacement du buste reliquaire de Pietro Gentili. Si cela eut lieu, ce ne put être qu'après la publication de la relation de la vie de la sainte par Domenico Fedini en 1627, qui autrement l'aurait mentionné pour ajouter au prestige du chapitre de Sainte-Marie-Majeure, responsable de l'église Sainte-Bibiane.

M.W.

17 — Gian Lorenzo Bernini, dit le Bernin (NAPLES 1598–ROME 1680)

La Charité

Étude pour le tombeau
d'Urbain VIII.
Terre cuite, 41,5 cm
Bibliothèque apostolique
vaticane, Musée Sacré (Inv. 2422)

Le Bernin fait de la Charité une figure robuste (légèrement atténuée dans le marbre), de maternité généreuse souriant à l'enfant qui tire sur son manteau et qui lève la jambe et le bras droits tant il pleure convulsivement pour être nourri au sein, comme son frère endormi dans les bras de sa mère. La terre cuite évoque la douceur et la mobilité des corps, qui sont modelés avec une grande virtuosité. On sent l'équilibre dans l'attitude de la Charité, même dans son volumineux manteau qui n'empêche pas de voir des mouvements multiples, alors qu'elle se retourne tout en continuant à grimper sur le sentier rocheux qui s'élève vers le sarcophage (voir fig. 13). On observe un contraste entre la texture de la tunique, qui est douce, et celle du manteau, plus rêche. Le visage de l'enfant en pleurs est admirablement expressif de par la distorsion des traits qui, grâce à la subtilité du modelé, semblent presque en mouvement. La même légèreté de doigté s'observe dans des détails tels que la main droite repliée de l'enfant endormi, et dans la courbe rythmique des doigts de la main droite de la Charité, rendue avec une économie de moyens extraordinaire et un effet remarquable.

Comme d'autres terres cuites, ce modèle de la Charité pour le tombeau d'Urbain VIII fut transféré à la Bibliothèque vaticane en 1923, à l'occasion de la donation de la bibliothèque Chigi par l'État italien, qui avait acquis en 1917 le palais de la piazza Colonna. Des photographies aux archives Chigi, qui se trouvent également à la Bibliothèque vaticane, montrent les terres cuites sur un socle dans la bibliothèque au palais Chigi. D'autres petites sculptures figurent dans d'autres photos où l'on distingue également de nombreux dessins du Bernin, transférés pendant un certain temps à Ariccia et maintenant aux archives Chigi, et qui étaient encore encadrés et encastrés dans les murs, faisant partie d'un ensemble décoratif relié par des motifs peints tels que des rubans et des guirlandes. Nombre de ces terres cuites et de ces dessins avaient auparavant décoré la villa du cardinal Flavio Chigi, aux Quatre-Fontaines. Dans un inventaire dressé par intermittence entre 1666 et le règne de Clément IX (1667–1669), une seule terre cuite est désignée sous le nom de Charité, mesurant environ deux palmes, c.-à-d. 44 cm. (Bibliothèque apostolique vaticane, archives Chigi 702, fol. 116 v; cité par O. Raggio dans « Bernini and the Collection of Cardinal Flavio Chigi », *Apollo*, vol. CXVII, n° 255, 1983, p. 368–379, fig. 10).

Il s'agit probablement du modèle définitif à échelle réduite, préparatoire à une version grandeur nature. Comme le bloc de marbre de la statue fut ébauché en 1634 (voir R. Wittkower, *Gian Lorenzo Bernini*, 1966, cat. n° 30), le projet devait être pratiquement arrêté à cette date, et probablement même déjà en 1631, au moment de l'achat du bloc. Un document de 1630 indique qu'on n'avait pas encore décidé si les figures de la Charité et de la Justice devaient être accompagnées chacune de deux enfants ou de trois. On ne précise cependant pas s'il s'agit là d'une augmentation ou d'une diminution du nombre d'enfants envisagé quand le tombeau fut commandé en 1627. Dans un dessin (voir H. Thelen, *Francesco Borromini. Die Handzeichnungen*, Graz, 1967, C.36) qui n'est pas postérieur à 1630, année où on effectua des incrustations en marbre dans la niche et dans la base du monument sous une forme très proche de celle que montre le dessin, la Charité adopte une pose très différente et s'occupe de deux enfants. Comme on a commencé en 1628 à travailler au modèle ayant servi à couler la statue en bronze d'Urbain VIII, et comme le dessin préfigure presque exactement l'œuvre définitive, celui-ci peut avoir été exécuté juste avant la niche et dut servir de guide aux maçons. On aurait donc songé, en 1630, à augmenter plutôt qu'à diminuer les figures. Si l'économie l'emporta sur la prodigalité, ce n'est peut-être pas tant pour des raisons financières – au contraire, on avait tendance à faire preuve de munificence, comme en témoigne l'évolution des plans du baldaquin et de la chaire de saint Pierre – mais parce que la place aurait manqué et qu'il aurait été inutile de sculpter trois enfants, en particulier pour la représentation de la Justice. Le Bernin ne travailla pas au tombeau de 1631 à 1639, sauf pour quelques travaux préliminaires sur la Charité en 1634, probablement à cause de ses nombreux autres engagements, notamment le parachèvement du baldaquin, l'exécution du saint Longin et la conception du tombeau de la comtesse Mathilde.

M. W.

La Charité

Terre cuite, 39 cm
Bibliothèque apostolique vaticane,
Musée Sacré (Inv. 2423)

Il est impossible d'affirmer avec certitude que cette figure fait partie des statuettes mentionnées dans les premiers inventaires (voir cat. n° 17) des possessions du cardinal Flavio Chigi. Elle est plus petite que le modèle de la Charité du tombeau d'Urbain VIII, et il est donc tout à fait vraisemblable qu'il s'agisse là de celle dont on cite le nom et qu'on dit mesurer environ deux palmes. La présente figure peut toutefois correspondre à la Charité mentionnée dans l'inventaire de 1692 (cité par O. Raggio dans *Apollo*, vol. CXVII, n° 255, p. 379, n. 21), et il semblerait donc qu'elle soit entrée dans la collection du cardinal Flavio Chigi après 1666–1669, puisqu'elle se trouvait à sa villa des Quatre-Fontaines dès 1692.

On a généralement cru que cette terre cuite était un *bozzetto* ou une esquisse du Bernin correspondant à une idée antérieure pour la Charité du tombeau d'Urbain VIII. Toutefois, même si, en 1630, l'artiste avait l'intention de réduire le nombre d'enfants de trois à deux (voir cat. n° 17), cela ne suffirait pas pour affirmer avec certitude que ce bozzetto est une œuvre antérieure – où d'ailleurs figurent quatre enfants. On ne peut non plus imaginer qu'il s'agisse d'une transformation ultérieure du modèle, dont le rendu était supérieur et la forme plus définie. En fait, la comparaison entre les deux est tout à l'avantage de celui-ci. L'attitude de notre Charité manque d'équilibre de par l'exagération du *contrapposto*, et le modelé n'est pas aussi évocateur. La texture des étoffes ne présente guère de contrastes, et les flammes de la torche renversée que tient l'enfant de droite se distinguent à peine du fond. Les jambes de l'enfant endormi sont maladroitement aplaties, tout comme les bras de ceux de gauche, qui s'embrassent. Ce manque de fini donne au bozzetto une certaine vivacité et une certaine finesse, en particulier dans les incisions très nettes qui définissent les minuscules traits des visages, tout à l'opposé de la puissante évocation de la masse et du mouvement, et de l'audacieuse stylisation des formes pour créer des effets de lumière et d'ombre, qui confèrent aux terres cuites du Bernin cette douceur propre à la pâte ou à la cire qu'il recherchait et qu'il réussissait à obtenir dans le marbre.

Il est toujours possible que les esquisses du Bernin de la fin des années 1620 aient différé considérablement des exemples ultérieurs plus connus (voir I. Lavin, « Calculated Spontaneity: Bernini and the terracotta sketch », *Apollo*, vol. CVII, 1978, p. 398–405). On pourrait établir définitivement l'authenticité ou l'inauthenticité de ce qu'on a pensé être des modèles d'œuvres de jeunesse, notamment celui du Louvre, pour sainte Bibiane (voir R. Wittkower, *Gian Lorenzo Bernini*, 1966, cat. n° 20), en comparant les empreintes digitales, qui sont si manifestement visibles sur notre terre cuite, comme sur la sainte Bibiane, avec celles qu'on peut observer sur le Daniel (cat. n° 21), ou sur la Ludovica Albertoni du Victoria and Albert Museum.

Plutôt que d'essayer de réattribuer l'œuvre, ce qui ne peut se faire actuellement de façon certaine, il vaut la peine de signaler que notre terre cuite pourrait tout aussi bien être un exemple de l'influence durable de la Charité du Bernin exécutée pour le tombeau d'Urbain VIII, dont la composition fut reproduite assez fidèlement pas Guiseppe Mazzuoli, et même de façon presque identique quant au geste du bras droit, dans la représentation de la Clémence au tombeau de Clément X (voir U. Schlegel, « Per Guiseppe e Bartolomeo Mazzuoli. Nuovi contributi », *Arte illustrata*, vol. 5, 1972, p. 43, fig. 10).

M.W.

19

Alessandro Algardi, dit l'Algarde (BOLOGNE 1598–ROME 1654)

Le Baptême du Christ 1645–1646

Terre cuite, 48,7 × 47,8 cm
Bibliothèque apostolique vaticane,
Musée Sacré (Inv. 2426)

L'artiste exécuta ce groupe en terre cuite, ainsi qu'un autre qu'il légua à son protecteur, monseigneur Cristofano Segni, en rapport avec un baptême du Christ en argent qu'il présenta au nouveau pape Innocent X, en même temps qu'un crucifix également en argent (voir J. Montagu, *Alessandro Algardi*, New Haven et Londres, 1985, vol. I, p. 82–86 et vol. II, L. 8 et 8.B.2, et l'article, publié à une date antérieure, « Le Baptême du Christ d'Alessandro Algardi », *Revue de l'Art*, vol. 15, 1972, p. 64–78). D'après des documents d'époque, ces deux œuvres figuraient, en 1666, dans la collection du neveu du souverain pontife, mais on en a perdu la trace : elles ont été probablement mises à la fonte. Toutefois, on connaît ces œuvres par des moulages en bronze et, dans le cas du Baptême, par ce groupe en terre cuite; on a perdu toute trace de celui de Segni.

Les documents de la Congrégation de la Révérende Fabrique de Saint-Pierre indiquent que des fonts baptismaux furent commandés à l'Algarde, le 23 février 1646, sur l'ordre du pape qui savait que la fonderie pontificale disposait d'une quantité suffisante de métal (Montagu, *op. cit.*, vol. II, L.99). Apparemment, cette commande fit directement suite à la présentation, par l'Algarde, de la sculpture en argent au souverain pontife à l'instigation de Segni (à moins que, bien entendu, celui-ci ait déjà été au courant des intentions du pape et qu'il ait encouragé l'Algarde à présenter sa sculpture en argent afin d'obtenir la commande), mais l'artiste ne réalisa pas l'œuvre. Ce ne fut que sous Innocent XI que Carlo Fontana exécuta les fonts baptismaux de Saint-Pierre; on trouvait encore à cette époque des documents sur le projet de l'Algarde dans les archives de la Fabrique.

Il est établi que ce groupe figurait dès 1666 dans la collection du cardinal Flavio Chigi, que ce dernier conservait dans son casino situé dans le jardin des Quatre-Fontaines, et il est donc impossible que cette sculpture ait été celle de Segni, parce que des documents établissent que le groupe légué à ce dernier appartenait toujours à ses héritiers, à Bologne, au milieu du XVIIIe siècle. Des nombreux moulages en bronze qui ont été conservés, le plus beau, coulé en plusieurs pièces, est sans doute celui qui se trouve aujourd'hui au musée de Cleveland et dont le socle porte les armes des marquis Franzone. Si on compare les deux œuvres, on remarque immédiatement

l'absence, dans la sculpture en terre cuite, de l'angelot qui, dans la version en bronze, vole entre le Christ et saint Jean-Baptiste et qui tient le manteau étendu du Christ, son aile frôlant le rocher sur lequel le Baptiste est agenouillé. La terre cuite a été endommagée à divers endroits et, d'après la rupture irrégulière du vêtement du Christ, là où le pied de l'ange aurait dû reposer, il semblerait que ce détail ait été perdu, et non pas que le projet n'en ait pas encore été conçu à l'époque. Toutefois, il serait bon de noter que l'ange est absent d'une première esquisse du Baptême qui se trouve aux Offices (voir W. Vitzthum, « Disegni di Alessandro Algardi », *Bollettino d'Arte*, vol. XLVIII, 1963, fig. 29). Toutefois, il semble clair que le modèle définitif de l'Algarde était celui qu'il légua à Segni. La terre cuite Chigi est d'une telle qualité que Jennifer Montagu et Olga Raggio la considèrent comme l'original (*The Vatican Collections*, Metropolitan Museum of Art, New York, 1983, n° 30) et, vu la très grande qualité de son fini, elle peut représenter un *ricordo* autographe de l'œuvre plutôt qu'une étude préparatoire.

L'Algarde n'a pas fait les fonts baptismaux de Saint-Pierre, mais il n'en a pas moins produit d'autres œuvres pour la basilique, notamment l'énorme bas-relief de marbre, le *Saint Léon le Grand arrêtant Attila* (1646–1653), et le tombeau du pape Léon XI de Médicis, qui eut un règne éphémère en 1605. Le neveu du pape, le cardinal Roberto Ubaldini, commanda à l'Algarde en 1634 ce monument, qui fut presque terminé en 1644, mais ne fut définitivement installé qu'en 1652. La statue en marbre de Léon XI, représenté en pied, est encadrée de celles de la Magnanimité et de la Libéralité. Olga Raggio a reconnu, parmi les ébauches qu'on trouve actuellement au Vatican, un *bozzetto* en terre cuite assez endommagé de la statue de la Libéralité passablement différente de celle qui orne le tombeau (« Bernini and the Collection of Cardinal Flavio Chigi », *Apollo*, vol. CXVII, n° 255, p. 378, fig. 26).

C.J.

20

Alessandro Algardi, dit l'Algarde (BOLOGNE 1598–ROME 1654)

Crucifix avec le Christ vivant

Corps, bronze doré, 73 cm,
sur croix d'ébène
Archives secrètes du Vatican

L'Algarde est surtout associé au pontificat d'Innocent X Pamphilj, durant lequel il reçut d'importantes commandes – le Bernin étant tombé en défaveur après l'exil des Barberini. Il arriva à Rome en 1625, et restaura, pour le cardinal Ludovisi, des sculptures de l'Antiquité. L'inscription *Urbano* figurant sur deux dessins d'une galère papale, donne à croire que l'Algarde travaillait pour le compte des Barberini, tout au moins à titre secondaire. Il réalisa, pour l'urne de saint Ignace de Loyola du Gesù, un relief en bronze figurant des saints jésuites (1629), et, pour la Chiesa Nuova, un marbre de saint Philippe Neri (1636–1638). Il semble avoir été surtout occupé à produire des objets en argent de nature décorative ou liturgique. Selon Bellori, l'Algarde présenta à Innocent X, au début de son règne, un crucifix en argent et un groupe en argent, le *Baptême* (voir cat. n° 19). Le crucifix représentait le Christ vivant cloué à la croix par quatre clous et portant une couronne d'épines et un pagne. Le bronze mesurait trois mains de haut et était disposé sur une croix d'ébène de six mains et trois quarts de haut et de trois de large. On perd la trace de ce *Crucifix* et du *Baptême* après le XVIIe siècle et on présume qu'ils furent envoyés à la fonte (voir J. Montagu, *Alessandro Algardi*, p. 328–341), mais on les connaît par des fontes en bronze, dont bon nombre étaient dorés, comme celui que nous voyons ici.

Un dessin de l'Algarde sur lequel sont inscrits son nom ainsi que la date 1647 se rapproche manifestement du crucifix que l'on connaît par les répliques de bronze, notamment pour ce qui est de l'orientation de la tête et de la présence des quatre clous, alors qu'on en trouve habituellement que trois. Toutefois, le pagne pend du côté opposé. Deux autres dessins d'exécution, conservés à Modène et au palais des Offices, illustrent la progression suivie par l'artiste dans le parachèvement de son projet (voir C. Johnston, « Drawings for Algardi's Cristo Vivo », *The Burlington Magazine*, vol. CX, 1968, p. 459–460). La date figurant sur le premier dessin (apparu récemment sur le marché et appartenant maintenant à David Tunick de New York) laisse supposer que le crucifix d'argent donné au pape doit être postérieur au groupe en argent du Baptême parce que c'est cette dernière œuvre qui permit à l'Algarde de recevoir la commande des fonts baptismaux de la basilique Saint-Pierre au début de 1646.

Le *Christ vivant* de l'Algarde est l'une des représentations les plus courantes de ce thème au XVIIe siècle, avec les deux modèles du « Christ vivant » et du « Christ mort » que le Bernin avait exécutés, quelques années auparavant, pour les autels de Saint-Pierre (voir cat. nos 24 et 25). Les crucifix du Bernin ont environ 25 cm de moins que celui de l'Algarde, et n'ont que trois clous. L'Algarde, qui est habituellement le plus classique des deux sculpteurs, représente dans ce cas-ci la scène de la façon la plus dramatique. L'artiste a imprimé très nettement au torse du crucifié un mouvement oblique qui, d'abord opposé à celui des ondulations du pagne, revient ensuite sur lui-même au niveau des genoux. Outre son crucifix en argent, l'Algarde fit un autre grand crucifix, un « Christ mort », d'une facture plus retenue. Il s'agissait du bronze destiné à la chapelle d'Ercole Alamandini dans l'église jésuite de Sainte-Lucie, à Bologne, où il ne fut cependant jamais installé. Jennifer Montagu a précisé que le crucifix servit à l'église bolonaise, à Rome en avril 1644, à l'occasion des obsèques du marquis Ludovico Fachinetti, dont l'Algarde avait aussi dessiné le catafalque. Le crucifix, qui était conservé au palais Alamandini, à Bologne, revint à Rome par héritage et fut acheté par le cardinal Fesch. Le cardinal vendit le crucifix en 1824, et le catalogue de cette vente précisait que l'objet avait six pieds de haut. Le modèle de ce grand crucifix est le crucifix en argile polychrome qui se trouve aujourd'hui dans la chapelle du palais du Gouverneur, au Vatican (Montagu, 1985, vol. II, 15.B.I), mais l'Algarde le donna l'année précédant sa mort au desservant de l'église Santa Marta, au Vatican, auquel le protecteur de l'Algarde, monseigneur Cristofano Segni, fit ériger une chapelle. Le crucifix de bronze fait pour Agostino Franzone qu'on trouve aujourd'hui à l'église Santi Vittorio e Carlo, à Gênes, est aussi inspiré de ce modèle (Montagu, 1985, vol. II, 15.C.3).

C.J.

Gian Lorenzo Bernini, dit le Bernin (NAPLES 1598–ROME 1680)

Daniel dans la fosse aux lions

Étude pour l'achèvement de la chapelle Chigi, à Sainte-Marie-du-Peuple.

Terre cuite, 41,6 cm
Bibliothèque apostolique vaticane, Musée Sacré (Inv. 2424)

Après le récent nettoyage de cette terre cuite, il ne subsiste aucun doute sur son attribution au Bernin lui-même. La sûreté d'exécution du modelage rapide caché par plusieurs couches de peinture couleur de bronze se manifeste clairement aujourd'hui. La précision du rendu des détails avait fait considérer cette pièce comme une maquette plutôt que comme une esquisse et on jugeait qu'il s'agissait plus vraisemblablement de l'œuvre d'un assistant d'atelier. Un tel fini, croyait-on, ne cadrait pas avec l'impétuosité du génie du Bernin. Toutefois, les différences notables entre la pose du groupe en terre cuite et celle du groupe de marbre occupant la niche de la chapelle Chigi où il est disposé de manière à resserrer le rapport entre Daniel et le lion, donnent à penser que la figure a dû être étudiée plus à fond avant que les assistants du Bernin ne préparent la grande maquette qu'il devait parachever. Le Bernin préconisait soigner le fini d'un dessin. La qualité de ses sculptures en marbre s'explique tout autant par l'extrême raffinement du traitement de la surface que par les jeux de lumière et d'ombre, le sens du mouvement énergique, la vitalité du corps et l'émotion de l'âme qu'elles transmettent.

Dans le groupe de Daniel, le Bernin a exprimé par sa composition l'état d'esprit du prophète en l'extériorisant sous l'aspect du drapé en forme de flamme, qui met en relief la tension ascendante du geste du prophète implorant Dieu de le sauver d'un danger de mort. Si l'on considère la statue par rapport à la tombe pyramidale voisine, l'impression de feu est renforcée par l'imitation plus explicite des flammes par les veines du marbre rougeâtre tirant sur l'orange du marbre de Porta Santa dont la tombe est revêtue. Daniel est mentionné dans la messe de requiem, où l'antienne de l'offertoire demande que les morts soient délivrés de la gueule du lion et libérés de la fosse. La dalle funéraire, œuvre du Bernin, où un squelette ailé émerge de la fosse symbolisée par l'arrière-plan noir suggérant la crypte sous la chapelle, s'inscrit dans le cadre narratif d'un événement unique où Daniel est relié sur le plan spatial à Habacuc, de l'autre côté de la chapelle (voir cat. no 22), et chacun d'eux au squelette et, par celui-ci, au Père éternel représenté au sommet de la chapelle. La représentation de Daniel est la conséquence de la suite d'événements annoncée par les deux prophètes déjà présents dans la chapelle. Jonas, avalé par une baleine et rejeté

sur le rivage, sain et sauf, après trois jours, préfigure l'ensevelissement et la résurrection du Christ. Élie, enlevé au ciel dans un char de feu, présage l'ascension. Daniel dans la fosse aux lions, sous terre, symbolise la descente du Christ dans les limbes. Habacuc complète le groupe de personnages à titre de prophète de l'universalité de la rédemption.

La relation complémentaire entre Daniel, Habacuc et le squelette permet de supposer que ces sujets furent choisis à la même époque. La date de la dalle est dissimulée dans l'inscription (à laquelle il manque aujourd'hui un mot) : *Mors aD CaeLos Iter* [La mort est le chemin qui mène aux cieux]. Les majuscules composent le nombre MDCLI, les dernières lettres formant le mot *ter*, trois fois en latin. MDCLIter veut donc dire 1653. Cette date est confirmée par un document contemporain précisant que la dalle scellait la crypte (voir G. Cugnoni, « Agostino Chigi Il Magnifico », *Archivio della Società Romana di Storia Patria*, vol. III, 1880, p. 440). Cela semble indiquer qu'on associait le squelette et la vision de Daniel selon laquelle les morts seront libérés de la fosse où ils auront été nourris par l'Eucharistie tout comme le fut Daniel qu'Habacuc secourut sans rompre le sceau que le roi de Babylone avait apposé à la pierre qui recouvrait l'embouchure.

Le fait que les modèles des statues ne soient pas mentionnés dans le journal d'Alexandre VII tendrait à confirmer qu'elles furent commandées avant le conclave qui commença en janvier 1655 et dont il sortit pape, au mois d'avril. Les comptes du cardinal Fabio Chigi ne semblent pas avoir été conservés. D'après les versements qui furent effectués au cours du pontificat d'Alexandre VII, on sait que le marbre de Daniel fut terminé avant juin 1657 (voir R. Wittkower, *Gian Lorenzo Bernini*, 1966, cat. no 58). En septembre 1653, Fabio Chigi, qui avait été créé cardinal l'année précédente, tout juste après son retour d'une longue absence d'une vingtaine d'années, négociait avec l'Algarde et avec le Bernin, lesquels devaient sculpter chacun une statue (voir J. Montagu, *Alessandro Algardi*, 1985, p. 263, n. 6), ce qui permet de supposer que les sujets étaient déjà choisis.

M.W.

Habacuc et l'Ange
Étude pour l'achèvement de la chapelle Chigi, à Sainte-Marie-du-Peuple.
Terre cuite, 52 cm
Bibliothèque apostolique vaticane, Musée Sacré (Inv. 2425)

Légèrement plus grande que son pendant représentant Daniel (cat. nº 21), et plus définie dans les détails, cette terre cuite représentant Habacuc et l'ange est probablement le modèle définitif auquel l'artiste allait se tenir par la suite, avec toutefois de légères modifications, ce qui indique qu'il ne s'agit pas d'une copie faite d'après le marbre terminé. Il ne semble pas non plus probable que le Bernin ait délégué à un assistant le travail des détails qui devaient être essentiels au raffinement et à la « perfection de grâce et de tendresse ». Au stade que représente cette étude, où le Bernin n'avait pas encore exprimé l'idée qu'il se faisait de l'œuvre, ses intentions quant au traitement de la surface ne pouvaient pas être suffisamment explicites pour qu'un assistant pût les interpréter avec un tel degré de précision. Il devenait ensuite possible de confier à un assistant la tâche d'exécuter une version à grande échelle, que le Bernin retoucherait. On réalisait ensuite une ébauche dans le marbre et, dans le cas de commandes complexes comme le tombeau d'Alexandre VII, le travail était exécuté presque entièrement par d'autres sculpteurs. Le Bernin y mettait ensuite la dernière main.

Le modelé de notre groupe est d'une virtuosité stupéfiante par le contraste qu'on y observe entre la maturité du corps robuste d'Habacuc et la juvénilité de l'ange, délicat, presque potelé. Le modelé lisse de la chevelure souple de l'ange s'oppose à la crêpure et à l'épaisseur des cheveux et de la barbe du prophète. Ces contrastes sont en outre accentués par les différentes textures des vêtements, le lourd manteau du prophète mettant en valeur le voile de l'ange, qui est presque aussi léger que l'air dans lequel celui-ci flotte, ayant à peine besoin de ses ailes duveteuses, qui servent davantage à manifester sa nature d'être spirituel.

Dans la chapelle Chigi, le groupe est placé en diagonale par rapport au Daniel vers lequel l'ange pointe le doigt, indiquant où il compte transporter Habacuc en le soulevant par une mèche de sa chevelure. L'histoire est racontée dans *L'Idole de Bêl* et *Le Dragon* du livre de Daniel figurant dans la version des Septante, dont le seul manuscrit grec existant se trouvait à la bibliothèque Chigi (voir R. Wittkower, 1966, p. 9). Toutefois, ce n'est pas cette circonstance qui aurait pu déterminer le choix du sujet, pas plus que la redisposition des statues dans les niches actuelles ne fut motivée uniquement par des considérations de composition. Car le nom d'Habacuc était déjà associé à la chapelle Chigi dans une description où il est identifié comme le sujet d'une autre statue qui désignait traditionnellement Élie (*voir* G. Alberici, *Originis et caussae S. Mariae de Populo narratio*, Rome, 1599, p. 14). Dans une description inédite de la chapelle, rédigée en 1657 pour Alexandre VII, l'auteur attribue par erreur l'identification en question à Vasari, et déclare qu'à son avis la sculpture représenterait Élie. Le Bernin, délibérément ou non, donna à la statue déjà exécutée le rôle non équivoque d'Élie en créant un Habacuc qui lui donnait l'occasion de relier la composition au Daniel, de même qu'au centre du pavement, lui-même relié à la coupole, créant ainsi une sorte de tourbillon qui force l'œil à suivre le cycle complet du temps qui prend fin dans la coupole où il avait commencé en compagnie de l'Éternel.

On voit Habacuc avec le panier de nourriture qu'il apportait aux ouvriers dans le champ qu'il montre du doigt. Mais l'ange apparaît et fait connaître le besoin de Daniel. La signification eucharistique de la nourriture qui se trouve dans le panier, soulignée par le tissu frangé qui fait allusion à la nappe d'autel, est subtilement renforcée par la suspension apparente du panier dans le vide, plus accentuée dans la terre cuite que dans le marbre. Le bloc à partir duquel celui-ci fut sculpté avait été transporté en octobre 1656, et le groupe achevé fut placé en novembre 1661 dans la niche du côté de l'épître, à droite de qui regarde (voir R. Wittkower, 1966, cat. nº 58). Il est intéressant de noter qu'une autre terre cuite d'Habacuc a été recensée par P.J. Mariette avec d'autres bozzetti du Bernin dans la collection de Pierre Crozat (vendu à Paris en 1750 : cat. de vente, p. 37–39, nºs 174 et 183).

M.W.

Gian Lorenzo Bernini, dit le Bernin (NAPLES 1598–ROME 1680)

*Médaillon à l'effigie
d'Alexandre VII*

Bronze coulé, patine brun foncé,
paillé, 34 cm
Bibliothèque apostolique vaticane,
Musée Sacré (Inv. 2049)

Ce portrait, de même que l'avers de la médaille dont le revers représente Androclès et le lion (cat. nᵒ 28), s'inspirent manifestement du même modèle original. L'indication attribuant au Bernin la paternité de la médaille ainsi que de la gravure s'applique par conséquent également à ce médaillon. Le dessin original préparatoire au revers est mentionné dans l'inventaire du cardinal Flavio Chigi (voir M. Worsdale, *Revue de l'Art*, vol. 61, 1983, p. 71, n. 94) avec un dessin de portrait rond manifestement lié au premier, et qui est plus large que la médaille d'environ deux centimètres. Il peut s'agir d'une réduction à l'échelle d'un plus grand dessin exécuté d'après nature et également modelé en terre cuite. Une version de notre médaillon visible dans une photographie prise au palais Chigi de la piazza Colonna et datant d'avant 1917 peut correspondre à un médaillon en terre cuite mentionné dans les inventaires de 1666–1669 (Bibliothèque apostolique vaticane, Archives Chigi, 702, fol. 115v).

Le portrait quelque peu caricatural est caractéristique des autres profils de pape exécutés par le Bernin, qui semble les avoir délibérément schématisés dans l'intention de les reproduire sur médaille (voir *Bernini in Vaticano*, nᵒˢ 282 et 320). Un autre profil dessiné représentant Clément IX (fig. 11) a été récemment redécouvert (voir M. Trudzinski, catalogue en préparation sur les dessins de la Landesgalerie, Hanovre). On y retrouve la même plasticité des muscles faciaux, qui est typique d'un dessin de sculpteur préparatoire à un bas-relief, où la surface doit être animée d'ombres marquées, obtenues par de subtils changements de niveau donnant l'illusion de formes saillantes malgré un relief peu accusé. Dans le dessin, l'œil a le même aspect globulaire que dans le médaillon. Clément IX y porte le camauro ou calotte d'été, qu'il coiffe également dans les médailles peut-être tirées du portrait (voir *Bernini in Vaticano*, nᵒ 313, ainsi que le nᵒ 315, de facture plus libre). Le profil dessiné d'Innocent X attribué à l'Algarde (fig. 19) montre le pape coiffé du camauro d'hiver, bordé d'hermine, qu'il porte également sur les médailles qui semblent s'en inspirer (cat. nᵒ 27). L'inversion de l'orientation du portrait sur les médailles frappées tendrait à confirmer le lien qui les unit, car en copiant le modèle fait en positif d'après le dessin, le graveur le copiait dans le même sens en sculptant le coin en négatif, ce qui produisait à la frappe une image à l'inverse de

l'original. Les portraits sur médailles successifs dérivaient probablement les uns des autres, ce qui semble être le cas de la troisième médaille annuelle du pontificat de Clément IX (*Bernini in Vaticano*, nᵒ 314), où l'image est à nouveau inversée et retrouve donc l'orientation du prototype, toutefois encore plus éloignée de lui quant à la fidélité de l'interprétation.

M.W.

Crucifix avec le Christ vivant
1659–1661

Corps, bronze doré, 43 cm; croix,
bronze, patine brun chaud, 185 cm
Révérende Fabrique de
Saint-Pierre de Rome

Gian Lorenzo Bernini,
dit le Bernin
(NAPLES 1598–ROME 1680);
Ercole Ferrata (PELLIO
INFERIORE 1610–ROME 1686);
Paolo Carnieri ou Giovanni
Artusi; Bartolomeo Cennini;
Gio. Maria Giorgetti

25

*Crucifix avec le Christ mort
et Chandeliers* 1657–1661

Corps, bronze doré, 43 cm; croix,
bronze, patine brun chaud, 185 cm;
chandeliers (illustrés à la page
suivante), bronze,
multiples hauteurs
Révérende Fabrique de
Saint-Pierre de Rome

Gian Lorenzo Bernini,
dit le Bernin
(NAPLES 1598–ROME 1680);
Ercole Ferrata (PELLIO
INFERIORE 1610–ROME 1686);
Paolo Carnieri; Bartolomeo
Cennini; Gio. Maria
Giorgetti

Les autels de Saint-Pierre sont pourvus d'ensembles identiques comprenant six grands chandeliers et deux plus petits réservés aux messes basses, disposés de chaque côté d'un crucifix monté sur une base assortie, où figurent les montagnes et l'étoile des Chigi. Il existe deux types de crucifix, l'un qui montre le Christ mort et l'autre alors qu'il est vivant et prononce les sept dernières paroles. Le « Christ vivant » fut réalisé à une date ultérieure, mais, pour les besoins d'une comparaison entre les caractéristiques formelles des deux crucifix, il est préférable de les étudier selon un ordre narratif plutôt que chronologique. Sur le plan de la composition, la ligne sinueuse du corps du « Christ vivant » donne l'impression qu'il fait un effort désespéré pour soulever la poitrine et réunir ses forces afin de lancer un dernier appel au ciel. L'effet de sinuosité est renforcé par la répétition serrée des courbes dans la chevelure qui encadre la tête, également rejetée vers l'arrière. La tension atteint son point culminant dans l'expression du visage, accentuée par les sourcils circonflexes. Comparativement à une version antérieure de l'Algarde sur le même thème (voir cat. n° 20), l'effet est beaucoup plus puissant, particulièrement dans l'expression d'une force épuisée. La façon dont les cheveux tombent sur les épaules a pour effet de lier le corps à la tête, qui a peine à se redresser, transformant ainsi le mouvement ascendant en effondrement. La séquence narrative est complète, réunissant en une seule image trois moments successifs. L'autre crucifix représente le Christ mort, alors que le poids du corps effondré lui fait plier les genoux. Dans le « Christ vivant », la jambe gauche était plus droite, donnant l'impression d'un effort pour redresser le corps. Les cheveux du « Christ mort » sont encore tirés vers l'arrière, comme sous l'effet du mouvement soudain de la tête vers l'avant. Encore un instant, et les cheveux auraient voilé la figure.

Ercole Ferrata réalisa les modèles pour la fonte des crucifix sur projets du Bernin. Ceux de la croix et des chandeliers furent exécutés en bois par Gio. Maria Giorgetti. R. Battaglia (*Crocifissi del Bernini in S. Pietro in Vaticano*, Rome, 1942, p. 9–10) a fait observer que ces dernières pièces se ressentent de leur origine en bois, sans réussir à exploiter le potentiel du bronze. Toutefois, il s'agit peut-être d'un effet volontaire visant à évoquer, en dépit de la qualité métallique du bronze, le bois comme tel, dont était faite la croix que l'hymnographie liturgique chante en tant qu'Arbre de vie. On a beaucoup discuté du degré de fidélité d'Ercole Ferrata au dessin du Bernin. La présence du modèle dans l'atelier de Ferrata milite en faveur de l'argument selon lequel cet artiste a largement contribué à la conception de l'œuvre, puisqu'il retenait l'original dont il pouvait tirer d'autres fontes. Toutefois, les projets du Bernin auraient été réalisés sous forme d'ébauches en terre cuite. La mention, dans l'inventaire de 1666–1669 du cardinal Flavio Chigi (Bibliothèque apostolique vaticane, Archives Chigi, 702, fol. 125), d'un crucifix de terre cuite de couleur métallique (plus grand d'un tiers, bien qu'on ne précise pas si la croix est incluse) n'est peut-être pas une coïncidence.

Les crucifix avec le Christ mort furent commandés en 1657 par la Révérende Fabrique de Saint-Pierre avec l'approbation d'Alexandre VII. En 1659, le pape commanda le second type avec le Christ vivant. L'uniformité, non exempte de certaines variations, que ces pièces confèrent aux autels de Saint-Pierre, est caractéristique du souci d'unité d'Alexandre VII, manifeste dans la commande des draperies destinées aux pilastres à l'occasion des canonisations célébrées à Saint-Pierre (voir cat. n° 31), de même que dans l'ordonnance symbolique de la colonnade (voir fig. 10 et cat. n° 37) ou dans les nombreux projets de travaux publics consignés avec soin dans son journal. Les médailles produites durant son règne sont d'un format régulier inusité qui semble procéder de ce même désir d'ordre. On a dit de lui qu'il fut grand dans les petites choses et petit dans les grandes. Cependant, un tel jugement est manifestement injuste si l'on considère l'importance effective d'une contribution d'apparence aussi modeste que la commande d'ornements d'autel. Car ces objets empêchent subtilement la basilique de n'être qu'un assemblage hétérogène d'œuvres rivalisant entre elles pour se détacher sur l'ensemble, qui retient un effet d'unité monumentale. Ils remplissent ce rôle non seulement grâce à leur uniformité, mais également grâce à leur forte présence, assurée par le modelé extraordinairement puissant des figures, qui ne sont diminuées en rien par l'immensité qui les entoure.

M.W.

Médaille annuelle du pontificat d'Innocent X, an VIII, figurant la fontaine des Quatre-Fleuves de la place Navone 1652

Bronze frappé, patine brun chaud, 39 mm
Bibliothèque apostolique vaticane, Cabinet des médailles

Le revers de cette médaille, qui reprend celui de la médaille frappée en 1648 à l'occasion de la mise en chantier de la fontaine des Quatre-Fleuves de la place Navone, marque l'inauguration de la fontaine (1651). La place se présente comme on la voit du côté nord, avec le palais Pamphilj et son belvédère à droite, l'église Saint-Jacques-des-Espagnols à gauche, et au loin, le dôme de Saint-André-de-la-Vallée. On remarquera que la personnification du Rio de la Plata, à droite, fait un geste où l'on a voulu reconnaître la crainte de voir les clochers de l'église voisine de Sainte-Agnès (œuvre de Borromini, voir cat. n° 27, rival du Bernin) s'effondrer, vu leur hauteur démesurée. Le Nil est représenté la tête couverte d'un voile pour signifier que sa source était inconnue, ou, selon la croyance populaire, pour se protéger de l'affreux spectacle qu'offrait l'architecture « hérétique » de Borromini.

De nombreuses légendes sont inextricablement liées à l'histoire de la fontaine; on raconte notamment que le Bernin, en défaveur auprès d'Innocent X à cause de son association avec les Barberini et déshonoré par la démolition de ses clochers pour Saint-Pierre, n'avait pas été invité à présenter un projet, mais qu'il réussit néanmoins à ravir la commande à Borromini. Cela est peut-être vrai, comme aussi l'anecdote voulant que le prince Nicolò Ludovisi, neveu papal par alliance, ait attiré l'attention du souverain pontife sur la maquette de la fontaine. Selon la biographie du Bernin par son fils Domenico, le prince Ludovisi commanda la maquette en cachant son intention de la montrer au pape et prétendit qu'il la voulait pour sa satisfaction personnelle. On raconte qu'il fit entrer clandestinement la maquette du Bernin au palais Pamphilj de la place Navone et qu'il la plaça sur une table dans une salle par où le pape devait passer à sa sortie d'un banquet. Or, la configuration de la fontaine à bassin bas semblable à un plat est celle d'un *trionfo da tavola* ou ornement de table fait de matières comestibles (voir *Bernini in Vaticano*, n°s 258 et 270, fig. p. 233). Cette présentation fut peut-être proposée par le Bernin, ou choisie par le prince Ludovisi, pour attirer l'attention sur l'effet qu'aurait l'œuvre achevée en faisant ressortir la ressemblance à une longue table que pouvait assumer la place, que l'on apercevait sans doute à l'arrière-plan par la fenêtre. Cette explication semble confirmée par l'inscription gravée du côté sud de la base de l'obélisque,

laquelle précise que la fontaine fut offerte avec munificence par Innocent X pour agrémenter la marche des promeneurs, étancher la soif et nourrir l'esprit (*meditantibus escam*).

Par ailleurs, l'anecdote selon laquelle le Bernin aurait fait couler la maquette dans l'argent afin que la pièce plût à la belle-sœur du pape davantage par le matériau que par la valeur artistique ne semble reposer que sur des ouï-dire (voir la lettre contemporaine publiée dans S. Fraschetti, *Il Bernini*, Milan, 1900, p. 180). Il n'est pas fait mention d'une maquette d'argent dans les biographies ou dans les inventaires des Pamphilj. Cette anecdote peut avoir été inspirée par la dorure de la maquette, ce qui aurait aussi copié l'aspect d'une sculpture en sucre. La maquette qui a été conservée est dorée. Toutefois, son origine n'est pas entièrement claire, car la pièce ne semble pas être mentionnée dans les premiers inventaires de la maison du Bernin (à moins qu'il ne s'agisse de la maquette dorée qui semble être mentionnée sans autres détails avec celle de la fontaine du Triton « di Baberini »; voir F. Borsi, C. Acidini Luchinat et F. Quinterio, *Gian Lorenzo Bernini, Il testamento, la casa, la raccolta dei beni*, Florence, 1981, p. 112). Pour l'étude du portrait d'Innocent X, à l'avers, voir cat. n° 23.

M.W.

*Médaille annuelle du pontificat
d'Innocent X, an X, figurant le
projet de l'église Sainte-Agnès*
1654

Bronze frappé, patine brun chaud,
38 mm
Bibliothèque apostolique vaticane,
Cabinet des médailles

Le revers illustre l'état d'avancement, en 1654, du projet de l'église Sainte-Agnès telle que la concevait Borromini. Les fondations de cet édifice avaient déjà été jetées en 1652 d'après le plan de Girolamo et Carlo Rainaldi, qui furent renvoyés parce que le pape avait entendu dire que leur plan n'était pas très estimé et qu'il ne ferait donc pas forte impression. La commande fut confiée à Borromini, qui fut lui aussi renvoyé en 1657, les ouvriers se plaignant de ne pas avoir reçu des directives suffisantes de l'architecte absentéiste. L'église actuelle est donc très différente de celle qui est présentée de façon déjà simplifiée sur la médaille en raison des contraintes imposées par l'espace et par la résilience du matériau. Toutefois, la représentation produit de l'effet en raison de sa clarté, Borromini n'ayant retenu que l'essentiel; c'est lui qui dessina la médaille, et son dessin nous est parvenu (voir G. Eimer, *La Fabbrica di S. Agnese in Navona*, Stockholm, 1970, vol. I, pl. LXXXIV, 120). Les intentions de l'artiste furent bien servies par le graveur du coin, Gasparo Morone Mola, dont l'interprétation quelque peu linéaire établit un équilibre très élégant entre les contrastes d'ombre et de lumière grâce à une répartition magistrale des surfaces planes et des saillies.

La date à laquelle la médaille fut frappée, trois ans après l'inauguration de la fontaine des Quatre-Fleuves (voir cat. nº 26), révèle clairement le caractère légendaire de l'interprétation populaire des mouvements de recul du Rio de la Plata et du Nil (et l'assertion que la statue solitaire de sainte Agnès, sur la façade de l'église, lui retourne le compliment de la même manière). Une interprétation plus plausible émerge lorsqu'on entre sur la place; on voit se profiler dans l'axe court situé devant l'église, la silhouette de la main levée du Rio de la Plata (personnifiant le dernier des continents à être évangélisé) tremblant devant la lumière de la vérité représentée par l'église. Le rapport antagoniste est encore plus frappant lorsque la façade de l'église est illuminée par le soleil du matin, tandis que la statue du Rio de la Plata demeure toujours dans l'ombre des bâtiments du côté opposé de la place. Toutefois, si on contourne la fontaine, on se rend compte que le Rio de la Plata regarde en direction de l'obélisque, dont il craint la chute imminente. Cet effet de double perspective transfère le symbolisme de l'église à l'obélisque, qui représente un rayon de lumière descendant des cieux

vers la terre. En effet, un obélisque est « le doigt du soleil », pour reprendre la définition qu'en donne Athanasius Kircher, dans un projet de cadran solaire pour la place Saint-Pierre (Bibliothèque apostolique vaticane, Cod. Chigi H II 22, fol. 253); c'est lui qui fit office de conseiller pour la restauration de l'obélisque et inspira l'iconographie de la fontaine.

Si l'un des artistes avait eu une intention ironique, ç'aurait été Borromini, parce que la statue de sainte Agnès, sur la façade de l'église, est postérieure à la fontaine. Toutefois, le manquement aux convenances que cela supposerait de la part des artistes qui auraient ridiculisé des images sacrées est impensable, vu le caractère omniprésent de la censure ecclésiastique à l'époque.

Il existe un dessin circulaire de l'Algarde figurant sainte Agnès sur un nuage devant une église (fig. 18; voir G. Eimer, *op. cit.*, p. 775), lequel représentait peut-être un autre projet pour cette médaille. Le portrait sur l'avers se rapproche davantage d'un dessin représentant Innocent X et attribué à l'Algarde (fig. 19) que les portraits en bronze et en marbre qui ont été associés à ce dernier. On note dans le portrait du pape gravé sur la médaille le même soulèvement des sourcils et, par conséquent, un front très ridé. On constate aussi les mêmes rides au coin des yeux, qui ont une vivacité inhabituelle, absente des autres portraits d'Innocent X.

M.W.

28

Médaille en l'honneur d'Alexandre VII, figurant Androclès et le lion 1659

Bronze coulé, patine brun chaud, 99 mm
Bibliothèque apostolique vaticane, Cabinet des médailles

Gian Lorenzo Bernini, dit le Bernin
(NAPLES 1598–ROME 1680);
Francesco Travani (actif ROME 1634–1675)

Cette superbe médaille au grand module tranche avec les médailles papales habituelles par sa monumentalité exceptionnelle et sa technique, qui fait revivre la tradition depuis longtemps négligée de la fonte, délaissant la frappe. Le dessin de cette médaille est peut-être le plus réussi de toutes les médailles papales, n'ayant pour seuls rivaux que ceux de la chaire de saint Pierre (cat. n° 29) et de la Scala Regia (cat. n° 30). L'épaisseur du bronze donne une impression d'élasticité et produit des effets merveilleux de lumière changeante sur la surface accidentée, effets particulièrement remarquables sur le splendide exemple en argent qui se trouve au Cabinet des médailles de la Bibliothèque nationale, à Paris.

Le revers montre un soldat romain dans une arène, qui a un mouvement de surprise en voyant le vigoureux lion s'affaisser devant lui et glisser doucement la tête sur le sol, comme un chien fidèle qui, la langue pendante, veut lécher le pied de son maître. Le lion a la queue entre les pattes, comme s'il demandait pardon d'avoir été aussi féroce juste avant cette soudaine interruption du combat. Les deux diagonales de la composition, la première longeant le dos du lion, et l'autre, qui va de l'épée brandie du soldat jusqu'à sa jambe droite, accentuent le fossé qui les sépare. La main droite du soldat, qui tient l'épée, est au niveau de son épaule, et semble arrêter le mouvement de l'épée. Bouche bée, le soldat se découvre en écartant son bouclier, car il soulève l'autre bras, stupéfait de reconnaître le lion avec lequel lui, Androclès, s'était auparavant lié d'amitié dans la nature, lui retirant une épine de la patte. Comme le proclame l'inscription qui apparaît sur un rouleau au bas de la médaille, « la bête aussi se souvient du bien qu'on lui fait ».

Giovanni Ferro, dans *Teatro d'Imprese* (Venise, 1623, p. 432), recommande cet épisode tiré des *Nuits attiques* d'Aulu-Gelle comme sujet d'*imprese* pour illustrer la reconnaissance. L'inscription qui figure sur le bord supérieur de la médaille déclare que celle-ci fut dédiée en 1659 par Domenico Jacobacci à son « prince munificent », c'est-à-dire Alexandre VII, dont le portrait orne l'avers. L'inscription de la gravure (fig. 12) également exécutée par le Bernin pour faire connaître la médaille à l'étranger grâce au papier, plus durable que le bronze (voir l'introduction,

Gian Lorenzo Bernini, dit le Bernin
(NAPLES 1598–ROME 1680);
Gasparo Morone Mola (m. ROME 1669)

p. 29), énumère les bienfaits accordés par Alexandre au sénat et au peuple de Rome, au nom duquel Jacobacci exprime sa gratitude pour les secours apportés pendant la peste, pour la construction de rues, de places, de fontaines et d'autres endroits publics.

La tunique d'Androclès est encore agitée par l'élan soudainement brisé. L'émotion se répand chez les nombreux spectateurs, dont certains sont dangereusement assis sur la barrière et tremblent encore devant le lion, tandis que d'autres semblent sur le point de descendre dans l'arène. La technique consistant à faire participer le spectateur en représentant les réactions d'autres spectateurs rappelle l'effet de l'assistance dans la chapelle Cornaro, et la comédie que le Bernin rappelait en 1665, où les spectateurs se trouvaient face à d'autres spectateurs, ceux-là sur scène, ayant ainsi l'impression d'être eux-mêmes les acteurs (voir C. D'Onofrio, *Fontana di Trevi, commedia inedita di Gianlorenzo Bernini*, Rome, 1963, p. 94). Le spectateur se sent entouré par la forme circulaire de l'amphithéâtre, dont son imagination prolonge le second hémicycle. Il se retrouve ainsi projeté au centre de l'arène en plein milieu de l'action. Voir l'analyse de l'avers au cat. n° 23.

M.W.

Médaille annuelle du pontificat d'Alexandre VII, an VIII, figurant la chaire de saint Pierre 1662

Argent frappé, 40,5 mm
Bibliothèque apostolique vaticane, Cabinet des médailles

On peut observer d'extraordinaires effets de lumière sur la surface ondulée du revers de cette médaille. Le relief exceptionnellement accentué, obtenu par la taille profonde du coin, donne aux figures une qualité plastique puissante. On a l'impression d'une vaste étendue autour des personnages et du reliquaire du trône de saint Pierre, lequel semble flotter, effleuré plutôt que porté du bout des doigts par les Pères de l'Église qui sont présents. Même s'il n'y a pratiquement pas de raccourci, sauf dans le socle des statues et dans l'entablement des colonnes situées derrière le trône, la médaille donne une impression de profondeur grâce à l'effet de transparence créé par les rayons qui émettent réellement de la lumière en la reflétant et en la faisant miroiter sur l'arête des striures. L'épithète générique de « splendide », traditionnelle en numismatique, n'a jamais paru plus appropriée que dans le cas de cette médaille, et tout particulièrement en ce qui concerne les exemplaires en or.

Le dessin original (voir *Bernini in Vaticano*, p. 296), si bien rendu par le graveur de médailles Gasparo Morone Mola, porte la marque du Bernin; il représente la composition monumentale que le Bernin projetait pour l'abside de Saint-Pierre, la *Cathedra Petri* ou chaire de saint Pierre. Avec le baldaquin qui couronne le maître-autel (voir fig. 5 et cat. n° 48) et qui encadre la scène vue de la nef (voir cat. n° 31), la chaire de saint Pierre est le monument le plus imposant à la grandeur des papes, dont l'origine divine est exprimée par la lumière qui émane de la colombe du Saint-Esprit. La représentation concrète de cette grandeur est tellement convaincante qu'on ne peut s'étonner qu'il ait fallu rappeler aux papes, en faisant flamber rituellement un morceau de lin lors de leur couronnement, combien la gloire terrestre est éphémère ou, selon les paroles du psalmiste : « Non pas à nous, Seigneur, non pas à nous, mais à ton Nom donne la gloire ». Le fait que les détails du devant d'autel aient été reproduits indique à quel point ils étaient considérés comme partie intégrante de l'ensemble, dont ils ne diminuent en rien le caractère monumental, tout comme le monument réduit à l'échelle de la médaille élève celle-ci au rang de monument, sans rien perdre de sa propre grandeur.

M.W.

Gian Lorenzo Bernini, dit le Bernin (NAPLES 1598–ROME 1680); Gasparo Morone Mola (m. ROME 1669)

Médaille annuelle du pontificat d'Alexandre VII, an IX, figurant la Scala Regia

Frappe postérieure avec l'avers de l'an X.
Bronze frappé, patine brun foncé, 41 mm
Bibliothèque apostolique vaticane, Cabinet des médailles

Ce revers atteint un équilibre formel remarquable dans l'articulation de ses plans, grâce au procédé très simple de la répétition de lignes parallèles qui crée un effet d'ascension et de profondeur. Les extrémités incurvées du rouleau portant une inscription créent un autre plan superposé, sur lequel ressort le bouclier tenu par les Renommées. La représentation de la Scala Regia, passage cérémonial reliant le palais du Vatican à la basilique Saint-Pierre, est composée de telle sorte que les marches inférieures de l'escalier touchent le bord de la médaille, donnant ainsi l'impression au spectateur qu'il se tient directement au pied de l'escalier. Le dessin original (voir *Bernini in Vaticano*, n° 304) du Bernin a été conservé parmi des inscriptions, dont un grand nombre ont été composées par Alexandre VII, pour des médailles et d'autres projets. La Scala Regia est représentée à l'état de projet sur la table de l'architecte, car ses chapiteaux sont de l'ordre corinthien, alors qu'ils sont ioniques dans leur version finale. Le dessin de la collection vaticane est probablement postérieur à un autre qui est inscrit dans un cercle comme s'il s'agissait d'un projet de médaille (voir N. Courtright, dans le cat. d'exp. *Drawings by Gian Lorenzo Bernini from the Museum der Bildenden Künste, Leipzig*, Princeton, 1981, p. 245 n. 6); la réalisation d'un second dessin spécialement pour la médaille s'est sans doute avérée nécessaire parce que le premier fut d'abord destiné à d'autres fins, l'angle de la perspective et la complexité des détails ne convenant pas aux contraintes imposées à la composition par le format de médaille; voir la correction du dessin pour la médaille commémorative du nouveau Louvre selon les projets du Bernin (Chantelou, *op. cit.*, p. 163; 16 septembre 1665).

La Scala Regia, ou escalier royal, fut construite selon une perspective tridimensionnelle pour compenser l'étroitesse de l'espace utilisable, déjà déterminée par les édifices environnants. Bien qu'on puisse emprunter l'escalier dans les deux sens, il servait surtout à passer de la Salle royale du palais apostolique à la « maison de Dieu », comme l'indique l'inscription de la médaille. Cependant, le point de vue qui détermine la perspective est orienté vers le haut. Cette orientation est nettement marquée par le monument équestre de Constantin faisant face aux spectateurs qui entrent en bas, ou à la sortie si on le regarde de côté à partir du palier, au niveau du portique de la basilique. La diminution marquée de l'échelle architecturale confère au pape une grandeur majestueuse lorsqu'il apparaît au haut de l'escalier, tout comme un chat placé à côté de la statue qui se trouve maintenant à l'arrière de la perspective construite par Borromini au palais Spada apparaît fortuitement gros comme un tigre. Le pape semble plus grand que nature alors que, vêtu du manteau papal (voir cat. n° 42) il est porté à la hauteur des épaules sur la chaise gestatoire, sa tête touchant presque les étoiles de la voûte à caissons. L'effet d'une telle apparition, dut effectivement sembler une « vision aérienne » selon l'expression de l'auteur d'un journal contemporain (G. Gigli, *Diario romano*, G. Riciotti, éd., Rome, 1958, p. 468; 27 mai 1655) à propos de la procession de la Fête-Dieu, pour laquelle Alexandre VII avait commandé au Bernin une adaptation de la chaise gestatoire en forme de prie-Dieu portatif (voir fig. 14).

M.W.

Gasparo Morone Mola (m. ROME 1669)

Médaille annuelle du pontificat d'Alexandre VII, an XI, figurant la canonisation de saint François de Sales 1665

Bronze frappé, patine rousse, 41 mm
Bibliothèque apostolique vaticane, Cabinet des médailles

Ce revers est également remarquable pour ses effets réussis de plans rapprochés et éloignés. Alexandre VII y est représenté présidant à la canonisation de saint François de Sales. Son trône est dans l'abside, derrière les colonnes du baldaquin du maître-autel. Au-dessus du trône, on voit les montagnes et l'étoile des armes des Chigi, surmontées d'une version anticipée de la chaire de saint Pierre (cat. n° 29), alors en voie de construction. La juxtaposition de la « gloire » rayonnante et des armoiries des Chigi rappelle les quarante heures de prière au Gesù en 1656, qui constituèrent une représentation allégorique des montagnes, faisant également allusion à la conversion de la reine Christine de Suède au catholicisme. La description est révélatrice quant au genre d'interprétation que l'on jugeait appropriée. En ce qui concerne la perspective, elle s'applique aussi bien aux effets de trompe-l'œil de cette médaille et d'autres, comme celle d'Androclès avec le lion (cat. n° 28).

« La machine était entièrement illuminée, mais ils ne pouvaient découvrir la source de la lumière, ni dire si elle était dans les images ou empruntée à quelque soleil artificiel; devant tant de tromperies merveilleuses, d'éloignement rapproché et de proximité éloignée, d'envolées immobiles et d'extrémités sans fin, ils perdirent peu à peu de leur curiosité et prièrent librement, pouvant se consacrer entièrement à ces saintes dévotions » (J. Burbery, *History of the Sacred Royal Majesty of Christina Queen of Swedland*, Londres, 1658, p. 451 *sqq.*).

Le choix de cette scène de canonisation pour sujet d'une médaille annuelle indique l'importance attachée à cet événement, considéré comme l'un des plus marquants de cette année, au même titre que les importants projets de construction représentés dans d'autres médailles annuelles. La décoration temporaire est jugée aussi importante, faisant partie intégrante de l'ensemble de Saint-Pierre au même titre que le baldaquin ou la chaire, qui imitent et incarnent en permanence la spontanéité éphémère d'un événement unique, suscitant ainsi une participation accrue du spectateur.

M. W.

François Chéron (LUNÉVILLE 1635–PARIS 1698)

Médaille du pontificat de Clément IX, an III, figurant le pont Saint-Ange 1669

Bronze coulé, patine rousse et noire, 97 mm
Bibliothèque apostolique vaticane, Cabinet des médailles

La fonte de l'avers est mieux réussie que celle du revers. Le même phénomène se répète dans le cas de l'autre médaille de Clément IX figurant le projet de la tribune de Sainte-Marie-Majeure (voir *Bernini in Vaticano*, n° 315). Le revers d'un exemplaire en plomb du présent spécimen, (voir *ibid.*, n° 316), dépourvu d'avers, est beaucoup plus net et témoigne de la technique raffinée de Chéron, de caractère beaucoup plus classique et français que ne le laisse croire le résultat plus grossier obtenu avec le bronze. La disposition des éléments du dessin, qui ne semblent pourtant pas très prometteurs, est ici très efficace. L'échelle de la Renommée en vol, figurée de nouveau avec les deux trompettes (voir l'introduction, p. 36) détermine l'étendue inusitée de la surface d'arrière-plan, qui donne l'impression d'un espace ample, impression accentuée par les nuages lointains. La perspective créée par les arches du pont rehausse l'effet de profondeur. La scène du premier plan où l'on voit la divinité fluviale du Tibre accompagné de la louve et des jumeaux Romulus et Remus crée un autre plan qui s'avance même en deçà du contour de la médaille. La scène donne également l'illusion d'une étendue d'eau, dont le flot abondant est ainsi bien rendu. Le pont Saint-Ange est représenté avec les ouvertures pratiquées par le Bernin dans le parapet, pour que les passants puissent voir l'eau. Juchés sur des piédestaux, des anges dessinés et sculptés suivant les instructions du Bernin, portent les instruments de la Passion.

M.W.

Médaille annuelle du pontificat de Clément X, an IIII, figurant la Religion 1673

Bronze frappé, patine noire,
36 mm
Bibliothèque apostolique vaticane,
Cabinet des médailles

F. Bonanni (*Numismata Pontificum Romanorum…*, Rome, 1699, vol. 2, Clementis X, XXIV) identifie la figure désignant la croix comme la religion chrétienne, ou l'Église catholique, qu'il compare à l'arche de Noé, refuge de vie contre la mort qui règne à l'extérieur, comme l'indique l'inscription de la médaille. Selon lui, Clément X a fait frapper cette médaille pour encourager les bons et ramener les méchants du chemin de la perdition. Cette intention est exprimée clairement et avec élégance dans le dessin. On remarque particulièrement l'immense étendue du paysage désertique parsemé de méchants qui ont erré et qui gisent sur le côté de la route. Le portrait expressif du pape, vu de trois quarts à l'avers de la médaille, est unique parmi les médailles papales. La confrontation directe qui s'ensuit donne l'impression d'une rencontre virtuelle. Le profil traditionnel dégage une aura de distance hiératique. Ce brusque face à face pourrait être perçu comme une intrusion de la part de l'observateur, n'était la main levée dans un geste de bénédiction, dont le relief accentué semble repousser le reste de l'image vers la profondeur du champ, créant ainsi un semblant d'éloignement, maintenant les récalcitrants à distance tout en appelant généreusement les bons. Le motif de la main bénissante fut utilisé dans une médaille du XVIe siècle. Chacun des quelques exemples du XVIIe siècle est étroitement lié au nom du Bernin (voir S. de Caro Balbi, « Gian Lorenzo Bernini et la Medaglia Barocca Romana », *Medaglia*, vol. 7, 1974, fig. 8a et 10; *Bernini in Vaticano*, nos 282 et 283).

M. W.

Giovanni Hamerani (ROME 1646–ROME 1705)

Médaille annuelle du pontificat de Clément X, an V, figurant la Renommée au-dessus de saint Pierre qui proclame le jubilé 1674

Bronze frappé, patine brun foncé, 41,5 mm
Bibliothèque apostolique vaticane, Cabinet des médailles

La figure de la Renommée rappelle nettement la médaille de Clément IX représentant le pont Saint-Ange (cat. nº 32), dont le dessinateur a également repris la figure de la louve levant les yeux vers le messager qui proclame le jubilé, à la joie manifeste de l'un des jumeaux. La bannière brandie par la Renommée porte l'inscription « dans la splendeur des étoiles », qui fait allusion aux armoiries de Clément IX où figuraient six étoiles à huit pointes. L'inscription au-dessus de la Renommée proclame que tous les peuples iront vers lui, présumément au temple de Pierre, où son successeur dispense les trésors de la grâce divine en sa qualité de vicaire du Christ. Le portrait de Clément X à l'avers montre le pape couronné de la tiare et portant la chape dont l'orfroi représente une scène tirée de la médaille de l'année précédente, soit la remise au pape d'une bannière prise aux Turcs par Jean Sobieski. Les étoiles du pape sont visibles au-dessus de la scène brodée et sur la bordure du capuchon. Le genre de ce portrait semble inspiré d'un profil dessiné par le Bernin (voir *Bernini in Vaticano*, nº 320).

M. W.

*Médaillon à l'effigie
d'Innocent XI*

Bronze coulé, doré et ciselé,
173 mm
Bibliothèque apostolique vaticane,
Cabinet des médailles

Véritable prouesse technique, cette pièce coulée en bronze, très finement brettée et dorée, est d'une splendeur indéniable avec ses surfaces facettées versicolores qui créent de nombreux effets de lumière réfléchie. Se détachant sur le champ en pointillé, les surfaces lisses du camauro et de la mosette, évoquent le lustre du velours. Elles sont d'un bruni légèrement plus poussé que celui du visage, dont la plastique est plus rugueuse, frisant la caricature à cause des dimensions exagérées du nez du pape. L'étole est brodée aux emblèmes des Odescalchi qui se détachent sur des volutes arabesques et un fond légèrement pointillé. La mosette et le col de batiste sont également d'une texture différente, les coutures du col étant gravées tout comme celles du camauro. La bordure d'hermine du camauro se détache sur la texture de la chevelure. Ces détails raffinés donnent à penser qu'il s'agit de l'œuvre d'un artiste à la fois doué pour la gravure et la fonte. En outre, par ses qualités plastiques, ce médaillon tient davantage du relief que de la médaille. Les épaules sont vues de trois quarts et la discordance entre ce *contrapposto* vigoureux et la tête, les proportions disharmonieuses et l'étrange amplification des formes ne sont pas sans rappeler un artiste dont l'œuvre présente des caractéristiques semblables. Il s'agit du sculpteur, fondeur et graveur Girolamo Lucenti, auteur de l'ange portant les clous qui décore le pont Saint-Ange (voir M. Weil, *The History and the Decoration of the Ponte Sant'Angelo*, Londres, 1974, p. 80). Jusqu'à ce jour, on avait attribué ce portrait à Giovanni Hamerani (voir J. Spike, cat. d'exp. *Baroque portraiture in Italy: Works from North American Collections*, Sarasota, 1984, nº 56). Toutefois, on ne lui connaît aucune médaille fondue, alors que Lucenti a signé plusieurs pièces de monnaie à l'effigie d'Innocent XI, de même qu'une médaille coulée (voir J. Varriano et N. Whitman dans le cat. d'exp. *Roma Resurgens. Papal Medals from the Age of the Baroque*, Ann Arbor, 1984, nº 122). Le goût de Lucenti pour les plis angulaires prononcés est manifeste dans une médaille de Clément X (voir *Bernini in Vaticano*, nº 321 et p. 283), fort différente d'une médaille de Giovanni Hamerani, les deux artistes s'étant peut-être inspirés d'un même dessin du Bernin (*ibid.* p. 307). En fait, le portrait d'Innocent XI a peut-être été réalisé également à partir d'un dessin du Bernin, auquel on faisait régulièrement appel pour fixer les traits des papes sous une forme propre à la traduction en médaille (voir cat. nº 23).

M.W.

*Médaille uniface aux armes
d'Alexandre VIII*

Bronze coulé, patine brun chaud,
87 mm
Bibliothèque apostolique vaticane,
Cabinet des médailles

F. Bonanni se contente de dater cette médaille quelque peu mystérieuse au règne d'Innocent XI sans faire d'autres commentaires, affirmant que la pièce parle d'elle-même (voir F. Bonanni, *Numismata Pontificum Romanorum…*, Rome, 1699, p. 760, XVII). La devise signifie « il a uni et a remis la palme ». Cependant, l'aigle bicéphale et la bande du bouclier qu'il porte sur sa poitrine semblent une interprétation audacieuse des armoiries d'Alexandre VIII Ottoboni, jouant sur leur ressemblance avec l'aigle bicéphale du Saint Empire romain, auquel la couronne impériale posée sur l'une des deux têtes fait allusion. L'autre tête est couronnée de la tiare papale. Les deux têtes ont le regard levé vers la croix rayonnante chassant les nuages. L'épée retenue dans la serre de la moitié papale, c'est-à-dire la droite de l'aigle et par conséquent le côté le plus digne, est enveloppée dans la palme de la victoire, pendant que le sceptre impérial est entouré de la branche d'olivier de la paix, symbole de l'union du pape et de l'empereur dans la foi, leurs querelles mises de côté pour ne pas tomber divisés devant l'ennemi turc qui menaçait encore la sécurité de l'Europe (voir L. von Pastor, *Storia dei papi*, XIV, Rome, 1962, p. 404 *sq.*).

R. Venuti mentionne cette médaille parmi celles d'Alexandre VIII. Il avance qu'elle fut coulée en Allemagne par un artisan qui signait avec les initiales P.H.M. et que sa signification ne vaut pas la peine d'être étudiée (R. Venuti, *Numismata romanorum pontificum praestantiora a Martin V ad Benedictum XIV*, Rome, 1744).

M.W.

Gian Lorenzo Bernini, dit le Bernin (NAPLES 1598–ROME 1680);
Giovanni Battista Bonacina (actif ROME 1640–1670)

*Plan et élévation de la place
Saint-Pierre* 1659

Gravure, 54,3 × 85 cm
Bibliothèque apostolique vaticane
(Inv. Barberini : Stamp. X. I. 31,6);
plaque de cuivre (non illustrée),
54,3 × 85 cm
Bibliothèque apostolique vaticane,
Archives Chigi (Inv. 25274)

Les inscriptions que tiennent les Renommées soufflant dans une trompette proclament qu'Alexandre VII, en commandant la place Saint-Pierre, voulait faciliter l'accès à la basilique en offrant un abri contre le soleil de l'été et les pluies de l'hiver, et accroître la splendeur de Saint-Pierre. Comme beaucoup d'habitants de pays éloignés souhaitaient voir cette œuvre célèbre, il fut jugé bon de publier une gravure.

La présentation de l'inscription sur un rouleau de papier qui semble sortir en relief de la feuille sur laquelle il est imprimé, et crée l'impression que le ciel s'étend réellement au-dessus de la colonnade représentée, est typique du Bernin, et l'inscription qui se trouve en bas à gauche doit lui attribuer la paternité de la gravure tout autant que celle de l'architecture. Les Renommées du dessin original au British Museum (H. Brauer, R. Wittkower, *Die Zeichnungen des Gianlorenzo Bernini*, Berlin, 1933, pl. 162a) semblent être de la main du Bernin, tandis que les éléments d'architecture auraient été dessinés par un assistant, peut-être Mattia de' Rossi, ou par le graveur lui-même, à partir de dessins qu'on lui aurait fournis, comme cela fut le cas pour les gravures des plans du Bernin pour le Louvre, pour lesquels il dessina lui-même deux représentations d'Hercule (voir M. Worsdale, *Revue de l'Art*, vol. 61, 1983, p. 71, n. 93). Le contraste entre les deux figures, l'une avancée, en pleine lumière, l'autre en retrait, dans l'ombre, est un motif de composition typique du Bernin (voir le catafalque du duc de Beaufort dans V. Martinelli, *Bernini. Disegni*, Florence, 1981, pl. XLIII). La plaque en cuivre originale, des archives Chigi, est mentionnée dans les premiers inventaires des biens du cardinal Flavio Chigi (voir cat. nº 17). Le fait que l'image en papier soit tributaire de la plaque de métal qui sert à l'imprimer renforce l'idée paradoxale que le papier dure plus longtemps que le bronze, ce à quoi fait subtilement allusion la fin de l'inscription, où on lit que l'image est représentée sur du papier (voir l'introduction, p. 29).

Qu'Alexandre VII ait participé à la conception de la place, ce que laissent entendre les inscriptions, est probablement plus exact qu'on ne l'admet généralement. L'attribution est présentée plus en longueur dans un rapport (voir T. Kitao, *Circle and Oval in the Square of St Peter's: Bernini's art of planning*, New York, 1974, p. 89, n. 40) présenté au pape, et rédigé en fait par monsignor Filippo Bernini, un des fils de l'artiste. Bon nombre des ébauches relatives à la place et à d'autres projets, et qu'on croyait jusqu'ici avoir été exécutées par le Bernin, sont en fait d'Alexandre VII, car elles se trouvent au verso de lettres adressées à ce dernier et de notes rédigées par lui. Parmi ces dessins, certains, de meilleure qualité, semblent être du Bernin; ils furent dessinés sur la même feuille, probablement quand le Bernin discutait de projets avec le pape et illustrait ses idées en se servant du crayon et du papier que lui tendait Alexandre VII.

M. W.

PORTICI DELLA PIAZZA DI S·PIETRO DI ROMA

Faldistoire et housse aux armes de Paul V

Siège, fer et bronze doré,
83 × 74 × 50 cm; housse, fils
d'or et d'argent sur soie
blanche, 158 × 139 cm
Sacristie de Sainte-Marie-Majeure,
Rome

L'inscription accompagnée d'armoiries qui figurent sur le faldistoire indiquent que celui-ci date de la douzième année du règne de Paul V, à savoir entre le 29 mai 1617 et le 28 mai 1618. La housse était manifestement destinée, dès son origine, à recouvrir le faldistoire, bien qu'elle ne lui soit pas forcément contemporaine à un ou deux ans près. Il est hors de doute qu'elle ne faisait pas partie d'un autre don à la basilique Sainte-Marie-Majeure, car les motifs des clefs croisées et des triples couronnes ont été inversés sur le pan arrière afin d'éviter qu'ils ne paraissent à l'envers. La broderie a donc été dessinée précisément pour ce faldistoire, et l'asymétrie entre l'ensemble des éléments, inhabituelle et surprenante – qui résulte du choix de l'emplacement des panneaux plus saillants encadrant les clefs croisées de part et d'autre des armoiries – était évidemment intentionelle. Un effet de mouvement perpétuel naît de cette alternance, tant sur le plan horizontal que vertical, du motif des triples couronnes et de celui des lys et des palmes entrelacés. Ce dernier motif est lui-même asymétrique sur tous les axes, mais sa direction tend indéniablement vers la diagonale. Les trois couronnes sont représentatives de la tendance alors naissante, et qui ne fera que s'accroître tout au long du XVIIᵉ siècle, qui favorisait l'émancipation des figures armoriales de leurs limites strictement héraldiques. En l'occurrence, l'accent est mis sur les composantes de la tiare papale attirant ainsi l'attention sur sa signification symbolique plutôt que sur sa suprématie. Selon l'explication conventionnelle, trois couronnes signifient l'autorité impériale, royale, et sacerdotale du pape qui a faculté d'enseigner, de châtier, et de pardonner dans l'Église militante sur terre, l'Église souffrante au purgatoire, et l'Église triomphante au paradis. Les deux clefs croisées se distinguent de façon traditionnelle : l'une brodée au fil d'or, l'autre au fil d'argent, figurant le droit (*giurisdizione*) ainsi que le pouvoir (*potestà*) que détient le pape d'ouvrir et de fermer, de lier et de délier sur Terre comme au Ciel (voir G. Moroni, *Dizionario di erudizione storico-ecclesiastica*, Venise, 1861, vol. 81, p. 29; vol. II p. 174).

L'explication des origines du faldistoire varie selon les commentateurs (voir *ibid.*, vol. 23, p. 11–16). À l'époque où le présent exemplaire fut réalisé, sa fonction était de servir de trône portatif afin de permettre au pontife de prendre place devant l'autel en des occasions comme l'ordination et la confirmation entre autres, ou d'appuyer les bras lorsqu'il devait s'agenouiller (voir fig. 14; et cat. nº 42). Le faldistoire servait également aux prélats célébrant la messe dans une église qui relevait de la juridiction d'un autre évêque, or l'évêque de Rome étant le pape, cette situation était fréquente. Ainsi, ce faldistoire aurait été utilisé par le neveu de Paul V, le cardinal Scipione Borghèse (voir fig. 4), lorsque celui-ci célébrait la messe dans la chapelle Pauline à Sainte-Marie-Majeure, et c'est peut-être principalement pour cela que le pape en fit don.

Il a été suggéré par M. Andaloro (dans le cat. d'exp. *Tesori d'Arte Sacra di Roma e del Lazio dal Medioevo all'Ottocento*, Rome, 1975, nº 192) que la housse pourrait être identique au « pallium sericum argento intexto aureis taeniis » aux insignes de Paul V au centre (dont fait mention P. De Angelis dans *Basilicae S. Mariae Majoris de Urbe A Liberio Papa I Usque ad Paulum V Pont. Max. Descriptio ac Delineatio...* Rome, 1621, p. 152). Quoi qu'il en soit, le dessin de la broderie est de loin en avance sur le style de l'orfroi de la chasuble violette de Paul V (cat. nº 39). Les motifs répandus si libéralement sont distribués avec équilibre. Bien qu'ils éliminent presque le fond blanc, qui indique le caractère festif du contexte liturgique, ce qu'ils perdent en clarté est amplement compensé par l'abondante splendeur et la vigoureuse richesse des formes.

M.W.

39

Ornements aux armes de Paul V

Damas de soie violette et de
fils d'or, et broderie de fils
d'or sur soie violette.
Chasuble, 112 × 72 cm;
étole et manipule
Bibliothèque apostolique vaticane,
Musée Sacré (Inv. 2708, 2691,
2690)

La broderie de l'orfroi ou « colonne » de la chasuble paraît quelque peu archaïque par le rythme serré et fréquemment répétitif de ses courbes strictement circulaires, ordonnées symétriquement sur l'axe vertical et l'axe horizontal, en contraste avec la gracieuse fluidité de la broderie sur la chasuble des ornements rouges aux armes d'Urbain VIII Barberini (cat. nº 40). Le damas est toutefois d'une facture plus originale dans sa représentation des animaux héraldiques des Borghèse à l'extérieur des armoiries. Seul le dragon est resté entièrement visible, car le damas a été coupé de telle sorte que l'aigle est divisé, et paraît couvert en partie par l'orfroi. Il semblerait donc que le damas ait été adapté à une autre fin que celle qui avait été prévue à l'origine. Cependant, le développement complet du motif, accentué à intervalles réguliers, aurait peut-être été assuré par d'autres ornements complémentaires comme une dalmatique et une tunique, bien que celles-ci, parmi les ornements Barberini, soient également d'une coupe plus ou moins irrégulière. Une série complète d'ornements pontificaux pour la messe aurait aussi compris une chape; l'ampleur des plis assurant la superficie nécessaire au développement complet d'un tel motif.

La chasuble est un ornement que revêt le célébrant pour la messe. Elle recouvre l'étole qui, portée autour du cou, symbolise un joug facile dont le poids est léger. Si le célébrant n'est pas prélat, il passe le pan droit au-dessus du pan gauche formant ainsi une croix en signe de soumission à l'autorité de l'évêque qui, lui, porte l'étole en laissant les extrémités retomber verticalement. L'étole est assujettie par la ceinture, un long cordon habituellement de soie tressée. Le manipule, qui ressemble à l'étole mais qui est beaucoup plus court, n'était autre qu'un mouchoir à l'origine. Il se porte sur l'avant-bras gauche. Avant la vestition du célébrant, le manipule est posé de façon à former la lettre I afin de composer – avec l'étole pliée en H et la ceinture en S – le monogramme de Jésus, IHS. La couleur liturgique violette est utilisée pendant le carême et l'avent en signe de pénitence. Elle n'était pas portée par le pape lors des messes solenelles, pour lesquelles un usage plus ancien prescrit le port du rouge, bien que le développement du rite romain ait introduit le violet, et, pour le deuil, les ornements noirs.

M.W.

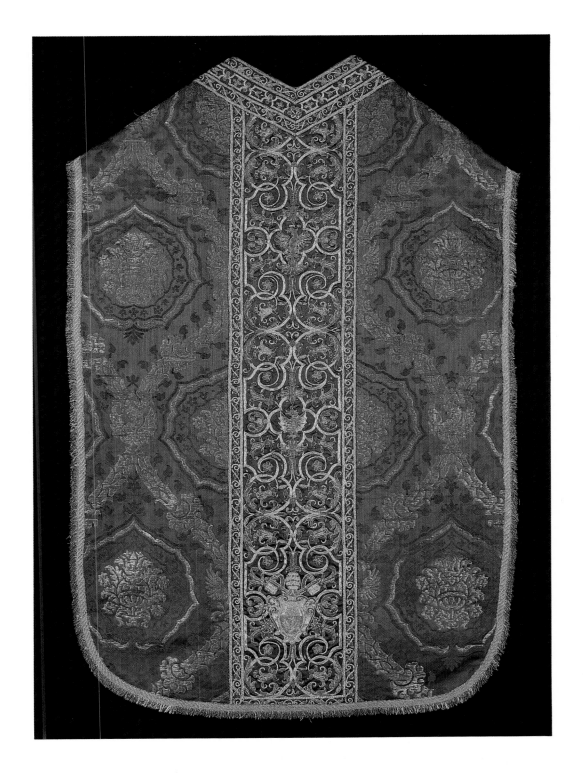

40

*Ornements aux armes
d'Urbain VIII* 1625–1627

Damas de soie rouge et de fils
d'or avec broderie de fils d'or
et de soie de couleur sur soie
rouge. Chasuble, 118 × 76 cm,
étole et manipule. Dalmatique, 140
× 110 cm, étole et manipule.
Tunique, 140 × 110 cm, et
manipule.
Sacristie de Sainte-Marie-Majeure,
Rome

a. Chasuble
b. Dalmatique
c. Étole
d. Manipule

Le damas de ces ornements rappelle nettement celui
de la chasuble violette aux armes de Paul V (cat.
n° 39). Cependant, le motif remplit le champ d'une
profusion équilibrée de formes foliées en fils d'or, ne
laissant pratiquement aucune surface unie, et donnant à l'ensemble un ton de miel. Les éléments héraldiques se retrouvent dans les « cellules », dont le
fond en damier peut rappeler des rayons de miel.
L'orfroi brodé de la chasuble pullule d'un essaim
presque bourdonnant d'abeilles Barberini qui re-
cueillent du nectar dans les fleurs et les lauriers, et il
en résulte une grande impression de croissance, grâce
au mouvement vertical produit par l'absence de symétrie dans l'axe horizontal du motif.

Partiellement caché par l'orfroi de la chasuble, un
peu plus net sur la dalmatique et la tunique, et tout à
fait lisible sur la chape violette de même tissure (voir
le cat. d'exp. *L'Arte degli Anni Santi*, Milan, 1984, p.
150, III.3.12), on retrouve un motif à trois abeilles se
dirigeant vers un laurier. Ce motif est tiré de l'*impresa*
(fig. 22) portant la devise HIC DOMUS, (voir l'introduction p. 39, n. 22, où l'explication de ce motif est
fournie par Giovanni Ferro).

Un devant d'autel complétait sans doute l'ensemble, car un paiement à Cinzio et Vincenzo Sabasio,
brodeurs de la Reverenda Camera Apostolica, et daté
d'octobre 1627, mentionne que leur œuvre était destinée à l'église Sainte-Bibiane, avec laquelle les ornements sont associés dans les inventaires de Sainte-
Marie-Majeure, dont le chapitre assurait le service de
Sainte-Bibiane (voir *Bernini in Vaticano*, n° 237). Les
inventaires indiquent que la chasuble fut donnée par
Urbain VIII au cours de l'année sainte 1625 (voir L.
Cardilli Alloisi, *L'Arte degli Anni Santi*, p. 162, III.6.1)
et que le chapitre commanda la dalmatique et la tunique en 1627. Ces dernières sont de forme usuelle, et
la distinction entre les deux est donc de peu de conséquence, la dalmatique étant portée par le diacre sur
l'aube, longue robe blanche en lin, et l'étole sur
l'épaule gauche, attachée à la taille du côté droit. La
tunique, à l'origine plus longue et plus étroite que la
dalmatique, est portée par le sous-diacre, sans étole,
mais avec le manipule, qui est la caractéristique de
son ordre et est porté par les autres en signe de com-
ponction. On peut avoir une certaine idée de l'usage
de ces ornements dans le *Saint Grégoire et le Miracle du
corporal* (cat. n° 6), d'Andrea Sacchi, qui montre un

type de damas semblable à celui des ornements
Barberini.

Dans la liturgie, le rouge, outre qu'il remplace le
violet et le noir dans le rite pontifical (voir cat. n° 39),
sert pour la commémoration des martyrs, de même
que le dimanche des Rameaux et à la Pentecôte. Le
choix de vêtements rouges pour ce don convenait
donc à sainte Bibiane pour qui Urbain VIII avait une
dévotion particulière et pour qui il composa l'hymne
de l'office de sa fête.

Un dessin (fig. 21) représentant le même motif
que celui de l'orfroi de la chasuble nous est parvenu
avec un ensemble de dessins de broderie, de plans
architecturaux et de nus académiques, dont certains
ont sans doute un lien avec l'atelier du Bernin. Cet
ensemble avait été réuni dans un album appartenant à
Francesco Maria Febei, qu'Alexandre VII avait
nommé maître des cérémonies et commandateur de
l'Hôpital du Saint-Esprit. Étant donné le lien de Febei avec le Bernin relativement à la commande de
tentures de pilastres pour Saint-Pierre, inaugurées à
l'occasion de la canonisation de saint François de
Sales (voir cat. n° 31), la présence de ce dessin dans sa
collection, avec celui d'une chasuble sans doute produite sous la surveillance du Bernin (voir cat. n° 44),
donne à penser que la qualité remarquable et l'originalité frappante de l'orfroi brodé de la chasuble
Barberini peuvent être dus à une participation du
Bernin.

M.W.

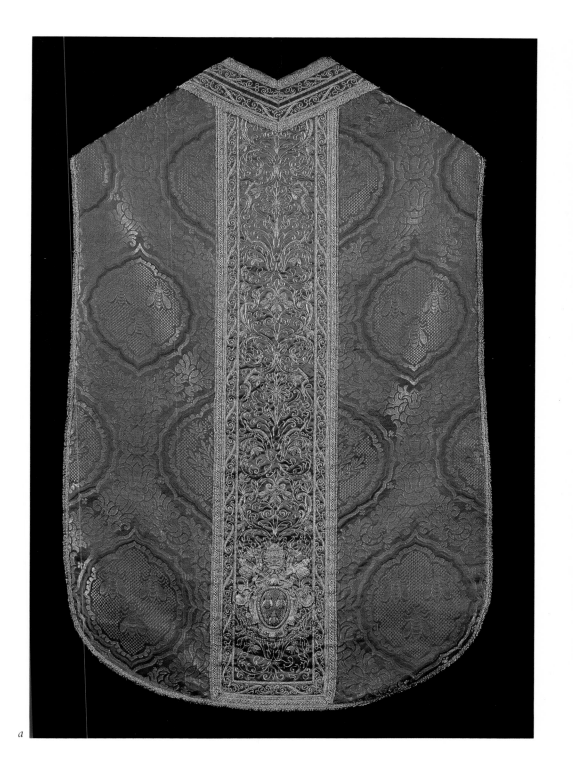

a

b

c

d

Ornements aux armes de Clément IX et de Renato Borromeo, comte d'Arona

Broderie de soie de couleur, fils d'or et passement sur soie blanche. Chasuble, 121 × 85 cm. Étole, manipule, voile de calice et corporalier
Bibliothèque apostolique vaticane, Musée Sacré (Inv. 2705, 2744, 2743, 2704, 2735)

a. Manipule
b. Étole
c. Chasuble
d. Voile de calice
e. Corporalier

Ces ornements sont particulièrement remarquables car leur conception diffère de celle des ornements mentionnés jusqu'à présent. Les motifs en arabesque se déploient d'un trait, sans aucune répétition. La composition, jointe aux couleurs délicates des fleurs, atteint une qualité digne d'une nature morte de Mario dei Fiori. Les losanges de Clément IX représentés dans les armoiries occupent la place d'honneur à dextre, c'est-à-dire à droite du point de vue du blason. Les autres pièces sont empruntées aux armoiries des Borromée, dont la combinaison avec le pavillon de l'église et une couronne laissent supposer que les ornements furent offerts par Renato Borromeo, comte d'Arona, qui avait assidûment poursuivi l'obtention d'offices caméraux (voir *Dizionario Biografico degli Italiani*, Rome, 1971, vol. 13, p. 66), dont le pavillon est l'emblème. Le voile de calice, et le corporalier, ou bourse pour le corporal, sont d'autres pièces liturgiques qui sont habituellement taillées dans le même tissu que les ornements, lesquels peuvent également comprendre un couvre-missel, un couvre-évangile et un couvre-épître, un voile huméral pour le sous-diacre et un grémial dont l'évêque se couvrait les genoux quand il s'asseyait au trône ou au faldistoire.

M.W.

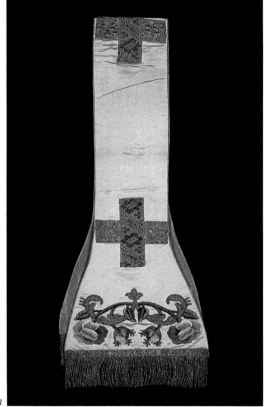

a

b

d

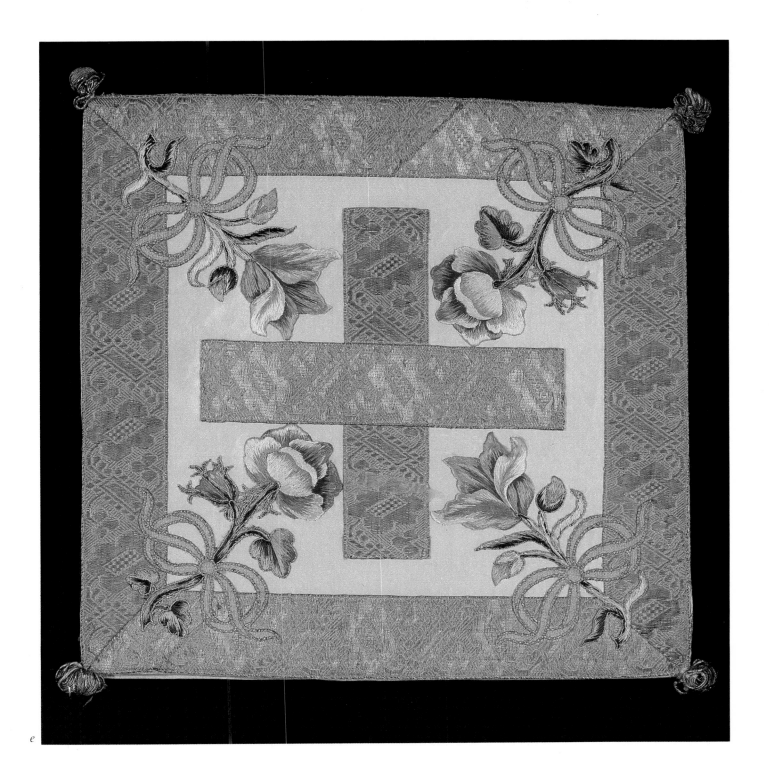

42

Manteau papal de Clément IX

Broderie de ruban d'argent et
de soie de couleur sur soie rouge,
284 × 368 cm
Bibliothèque apostolique vaticane,
Musée Sacré (Inv. 2688)

Les grandes dimensions de ce manteau, version agrandie de la chape ou pluvial, sont censées symboliser le prolongement du caractère sacré du pape dans l'éternité (voir G. Moroni, *Dizionario di erudizione storico-ecclesiastica*, vol. XLII, Venise, 1847, p. 162). Lorsque le pape se déplaçait à pieds vêtu de ce manteau, le cardinal protodiacre et le cardinal diacre en tenaient les extrémités antérieures. D'autres assistants devaient en soutenir la traîne, et ce rôle privilégié était attribué au souverain pouvant être présent à cette occasion. L'aspect majestueux du pape vêtu de ce manteau et faisant quelques pas devait être extrêmement impressionnant. Quand le pape se tenait debout près de son trône, ou s'asseyait sur celui-ci, les pans antérieurs du manteau couvraient les marches qui y menaient; la figure du pape se démarquait alors nettement de son entourage, ce qui avait l'avantage de permettre aux fidèles de mieux distinguer le pape malgré la distance, dans une église bondée ou sur une place aussi immense que celle de Saint-Pierre. Sans quelques signes extérieurs, la dignité de l'office serait imperceptible. Aussi les cardinaux et les évêques portaient-ils également de longues traînes cramoisies ou pourpres selon leur dignité (voir cat. n° 10). Cependant, dans les églises qui n'étaient pas de leur juridiction, ils ne déployaient pas leur traîne, et c'est ainsi qu'à Rome, ils la portaient repliée sur le bras gauche, sauf dans certaines occasions spéciales (voir cat. n°s 46 et 47).

La décoration du spécimen exposé fait discrètement allusion aux quatre losanges des armoiries de Clément IX Rospigliosi, disposés ici à intervalles réguliers entre les volutes arabesques. Une série de preuves indirectes (voir *Bernini in Vaticano*, n°s 240–248) donnent à penser qu'il s'agit d'un dessin de J.P. Schor (voir cat. n° 45). Le foisonnement harmonieux des délicates vrilles, qui ondulent et se croisent de façon rythmique, équilibre avec une extrême élégance la broderie de rubans argentés sur le fond de soie rouge (pour la symbolique des couleurs, voir cat. n° 40). Le rythme se resserre et « l'orchestration » devient plus dense sur l'orfroi et le capuchon; des vignettes multicolores, dont la fraîcheur est d'autant plus frappante que le reste du manteau est relativement uni, représentent l'Immaculée Conception sur le capuchon, sous Dieu le Père, entourée de saint Pierre et de saint Paul disposés sur un axe différent afin de paraître en position verticale lorsque le manteau est porté. Sous ce groupe, figurent les quatre évangélistes et deux papes canonisés, dont l'un pourrait être saint Clément. L'Algarde a repris le manteau dans son relief de saint Léon le Grand et Attila (voir J. Montagu, *Alessandro Algardi*, vol. 2, pl. 132–135); il figure également dans une peinture autrefois attribuée à Andrea Sacchi (attribution réfutée par A. Sutherland Harris, *Andrea Sacchi*, Oxford, 1977, p. 109, R. 14), qui est peut-être l'œuvre de Giovanni Maria Morandi, représentant Alexandre VII porté par les *Sediari*, agenouillé en adoration devant le Saint-Sacrement pendant la Fête-Dieu (fig. 14). La représentation du Talamo – dont le nom connote une couche nuptiale mystique – ou du prie-Dieu, est probablement fidèle au dessin du Bernin (voir *Bernini in Vaticano*, n° 306), car il existe encore à la Floreria Apostolica une version semblable bien que quelque peu simplifiée aux armes de Pie IX, qui remplaça peut-être l'original sans doute endommagé à la suite d'un usage fréquent pendant plus de deux siècles.

Que le manteau de Clément IX, de même qu'une paire de sandales et de brodequins ou bas liturgiques (voir *Bernini in Vaticano*, n° 247) et sa soutane aient résisté au passage du temps et soient maintenant conservés au Musée Sacré de la Bibliothèque vaticane, peut s'expliquer du fait qu'ils étaient conservés comme des reliques, car Clément IX était mort en odeur de sainteté. Le témoignage de Cartari, doyen des avocats consistoriaux, appuie cette conjecture. En effet, ce dernier raconte dans son journal inédit comment, peu après la mort de Clément, un mendiant prétendit avoir reçu un anneau d'un prêtre inconnu qui lui avait recommandé de la vendre à un certain joaillier. Ce dernier reconnut l'anneau qu'il avait fourni au pape, avec lequel il avait été enterré. On ne découvrit jamais l'identité du mystérieux prêtre et la dépouille du pape dut être transféré en secret afin d'empêcher la populace de miner la maçonnerie de sa tombe pour s'emparer de reliques.

M.W.

43

Devant d'autel avec les emblêmes des Barberini et les armes d'Innocent X

Broderie de fils d'or sur corde, ruban d'argent et soie de couleur, passement d'or et d'argent sur soie rouge, 98 × 184 cm
Sacristie de la chapelle Sixtine

Les armoiries d'Innocent X Pamphilj (pape de 1644 à 1655) sont appliquées sur le champ du devant d'autel où sont disséminés les emblèmes des Barberini. La façon dont les lauriers sont coupés aux extrémités supérieure et inférieure de la pièce donne à penser que la broderie avait été prévue à l'origine pour une autre fin. Pour plus de symétrie, les intervalles égaux séparant les lauriers, les abeilles et les soleils, qui se présentent en alternance, ne sont pas maintenus près des bandes verticales qui masquent les coutures. Le « mouvement perpétuel » des arabesques se trouve ainsi interrompu. Le motif est très semblable à celui de la housse de faldistoire aux armes de Paul V (cat. nº 38), mais ses lignes sont beaucoup plus nettes et accentuent avec beaucoup d'effet le relief des abeilles, donnant l'impression qu'elles viennent de se poser. Les losanges à lobes qu'on retrouve de chaque côté des soleils du devant d'autel sont presque identiques à ceux qui encadrent les motifs à tiare et clefs croisées de la housse de faldistoire. Ces derniers furent reproduits assez fidèlement par le Bernin sur l'étole du buste en bronze d'Urbain VIII, qui se trouve maintenant au Louvre et dont une variante en marbre se trouve au palais Barberini (voir R. Wittkower, *Gian Lorenzo Bernini*, Londres, 1966, cat. nᵒˢ 19 [3] et 19 [4], qui propose de dater des environs de 1630 le modèle à l'origine de ces bustes). En 1631, un manteau papal blanc, dont la décoration correspond à celle de notre devant d'autel, fut payé par la Reverenda Camera Apostolica au brodeur Cinzio Sabasio (voir F. Mancinelli, *Bernini in Vaticano*, nº 238). Il est également possible qu'à l'origine l'ouvrage ait été un manteau, devenu inutile pour le successeur d'Urbain, Innocent X; l'accession de ce dernier à la papauté entraînant l'exil des Barberini. Les personnes qui voyaient dans les abeilles hors de leur formation héraldique sur le tombeau d'Urbain VIII un signe de la dispersion des Barberini – ce que le Bernin n'avait certainement pas voulu signifier (voir F. Baldinucci, *Vita del cavaliere Gio. Lorenzo Bernini*, Florence, 1682, p. 18) – avaient sans doute jugé approprié que les armes d'Innocent X soient appliquées de façon à rappeler sa domination sur les Barberini. Quoi qu'il en soit, les dimensions de cet ornement semblent indiquer qu'il fut nouvellement destiné à parer de manière tout à fait appropriée l'autel de la chapelle commandée par Urbain VIII dans les palais du Vatican.

M.W.

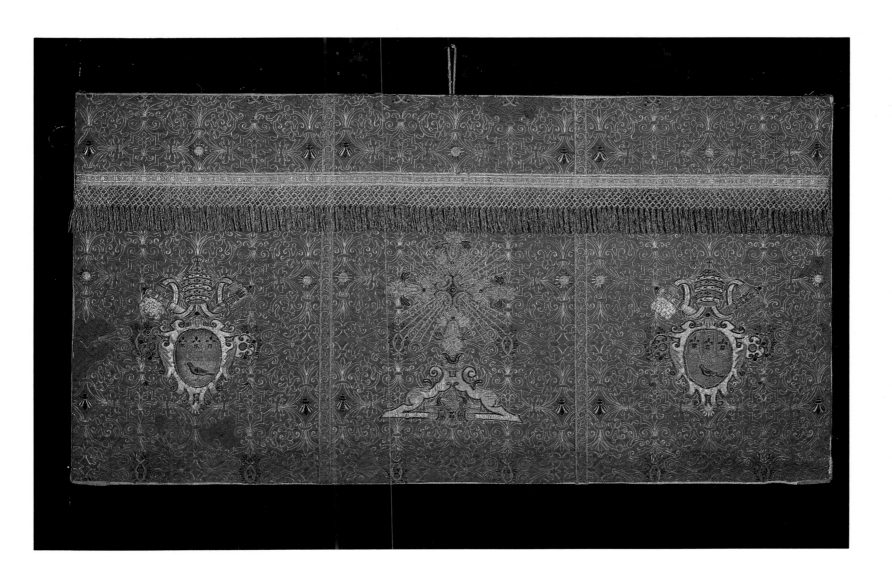

44

*Devant d'autel aux armes
d'Alexandre VII*

Broderie de ruban d'argent, fils
et passement d'or et d'argent,
et soie de couleur sur soie
rouge, 102 × 375 cm
Sacristie de la chapelle Sixtine

La façon dont les chênes, les montagnes et l'étoile héraldiques des Chigi sont disposées et la symétrie parfaite des panneaux verticaux individuels du devant d'autel indiquent qu'il fut composé tout d'une pièce. D'après ses dimensions, il était destiné à l'autel de la chapelle Sixtine. La qualité linéaire du dessin était plus indiquée que l'emploi de hauts reliefs (tels ceux du devant d'autel dans la basilique du Latran, cat. nᵒ 45), car la Sixtine était considérée comme chapelle domestique. Le motif des feuilles de palmier dans la broderie laisse supposer que le devant était destiné aux fêtes des martyrs, dont les plus importants étaient bien sûr saint Pierre et saint Paul, et le protomartyr saint Étienne. L'affinité de la composition et du style de la broderie avec ceux du manteau de Clément IX (cat. nᵒ 42) permet de croire qu'elles furent l'œuvre du même dessinateur et brodeur. Les dessins et la technique de broderie employée sont tout à fait semblables à ceux décorant une chasuble

violette aux armes des Chigi (voir *Bernini in Vaticano*, nᵒ 244) qui, elle, à son tour, se rapproche des ornements de la chapelle Chigi à Sienne et auxquels le Bernin aurait collaboré et dont Alexandre VII fait mention dans son journal (R. Krautheimer et R. Jones, *op. cit.*, p. 215, nᵒ 491). Un dessin pour ces chasubles figure parmi d'autres projets de broderies dans l'album Febei à Orvieto (voir cat. nᵒ 40). La ressemblance est indéniable entre ce dessin et celui de la Farnésine (voir *Bernini in Vaticano*, nᵒ 242) où apparaissent des motifs identiques à ceux du devant d'autel.

M. W.

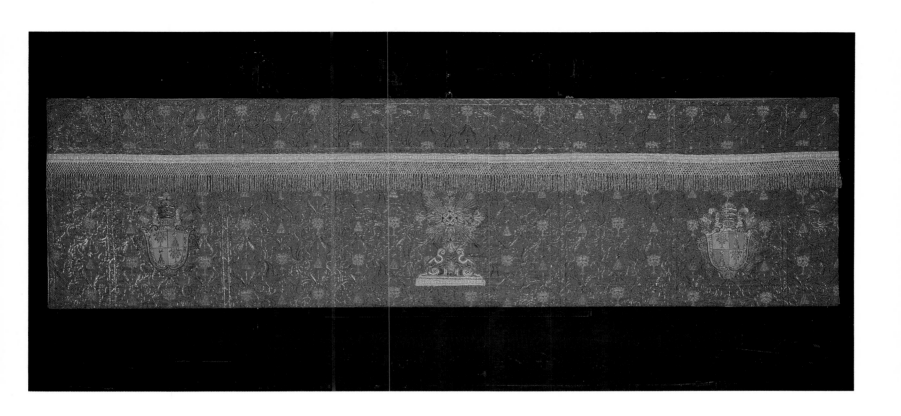

*Devant d'autel aux armes
d'Alexandre VII*

Velours de soie rouge avec
broderie de passement d'or
et d'argent, 106 × 260 cm
Basilique Saint-Jean-de-Latran,
Rome

Le relief accusé de la broderie et la vigueur audacieuse des lourdes volutes, qui s'enroulent en lents mouvements circulaires, donnent à ce motif une qualité monumentale assortie au cadre qui lui est assigné. Alors que les autres devants d'autel (cat. nos 43 et 44) étaient destinés à des espaces plus petits ou décorés en deux dimensions, celui-ci, aux armes d'Alexandre VII, ornait le maître-autel de Saint-Jean-de-Latran, qui est surmonté d'un baldaquin sur pied exigeant un dessin de caractère sculptural pour que le devant d'autel s'intègre bien à l'ensemble. La clarté et la vigueur du dessin sont semblables à celles du devant d'autel qui figure sur les médailles de la chaire de saint Pierre (cat. nº 29) et de la canonisation de saint François de Sales (cat. nº 31), même si on n'y retrouve pas la simplicité saisissante de leurs deux grandes volutes aux courbes majestueuses. Les copies en mosaïque des devants brodés tous semblables ornant les autels latéraux de Saint-Pierre et commandés sous Pie VI en sont plus proches; mais le dessin pourrait aussi s'inspirer d'un motif réalisé plus tôt et qui avait été peint sur toile, comme celui qui orne les devants d'autel très semblables de la Chiesa Nuova. Selon G. Moroni (*Dizionario di erudizione storico-ecclesiatica*, vol. I, Venise, 1840, p. 275, sous le titre « Altare »), ces dessins pouvaient servir toute l'année, puisqu'ils comportaient les couleurs convenant à tous les temps liturgiques.

Ici, la croix est représentée comme si elle reposait sur un socle, mais son aspect tridimensionnel est très atténué par rapport à celui de la croix qui orne le devant d'autel de la chapelle d'Urbain VIII (cat. nº 43). Toutefois, l'angle des clefs en perspective communique une nette impression de recul et de saillie. Les feuilles d'acanthe traditionnelles deviennent ici les feuilles et les glands de chêne du quartier della Rovere que comprennent les armoiries des Chigi. Au centre de la croix, il y a une étoile à huit branches, qu'on retrouve également dans les armoiries des Chigi. Son lien avec les rayons de lumière qui émanent de la croix semblent indiquer que le pape avait été destiné par la Providence à transmettre le feu céleste, à la nature duquel participe l'étoile de ses armoiries. C'est là l'idée qui semble présider à l'alternance avec l'étoile à six branches de la Sagesse divine ornant les portes antiques en bronze du Latran, restaurées sur projet de Borromini, qui utilisa également le motif avec une clarté plus explicite sur les nervures de voûte de Saint-Yves-à-la-Sapience.

Les motifs de volutes employés dans la décoration des devants d'autel s'inspirent peut-être de la vigne considérée comme symbole de l'Eucharistie célébrée sur l'autel, et de la vigne représentant le Christ, avec ses disciples qui en forment les branches. Le remplacement de la vigne par le chêne n'exclut pas nécessairement que le motif ait pu faire allusion à ces notions familières. En effet, dans un dessin du Bernin représentant une rose d'or (fig. 16) envoyée traditionnellement par le pape comme présent à un souverain catholique méritant, les fleurs s'épanouissent de façon plutôt inattendue sur un chêne croissant au sommet des montagnes des Chigi, symbolisant une vertu profondément enracinée. De même, dans une rose d'or aux armes de Paul V conservée à la Schatzkammer, à Vienne (fig. 15), le parfum de la rose est évoqué par les reliques des saints reposant dans des fioles « qui sont les prières des saints » (Apoc. 5:9).

La qualité légèrement archaïque de notre dessin, qui convenait à l'autel gothique du Latran, rappelle le dossier du trône de l'empereur Maximilien, qui fut conservé avec respect et peut encore être admiré à Innsbruck, ville natale de Johannes Paulus Schor, connu à Rome sous le nom de Giovanni Paolo Tedesco. C'est peut-être celui-ci qui dessina le manteau de Clément IX (cat. nº 42) et le devant d'autel rouge de la chapelle Sixtine aux armes d'Alexandre VII (cat. nº 44), tout comme, sans doute, un autre superbe devant d'autel rouge, celui du Latran, aux armes du cardinal Flavio Chigi. Ce dernier est très apparenté à la décoration qu'on voit sous le trône de la chaire de saint Pierre (voir cat. nº 29), que des documents désignent comme l'œuvre de Schor, assistant du Bernin, dont il avait toute la confiance, et qui appliquait les idées de celui-ci en matière de broderie, de costumes, de décors de théâtre et de feux d'artifice (voir *Bernini in Vaticano*, p. 234, n. 19). Un dessin attribué à Schor et représentant une livrée (Rome, Gabinetto Nazionale dei Disegni e delle Stampe, F.C. 127540) est très proche du devant d'autel par le rythme lent de ses volutes également réparties.

M.W.

46

Monseigneur Maffeo Barberini créé cardinal 1666–1667

Tapisserie en soie et laine,
396 × 501 cm
Musées du Vatican (Inv. 3920)

En 1625, le cardinal Francesco Barberini, en mission à Paris avec le cavalier Cassiano dal Pozzo, entre autres, admira les célèbres tapisseries du château de Fontainebleau. À l'occasion de cette visite, Louis XIII lui fit présent de sept tapisseries de la série dessinée par Rubens sur la vie de Constantin. Le cardinal Barberini résolut d'ouvrir un atelier de tapisseries à Rome comme celui qui avait existé au XVᵉ siècle sous le pape Nicolas V (fondé en 1455).

En 1627, cet atelier fonctionnait déjà, sous la direction du Flamand Jacob Van den Vliete. Les premières œuvres produites furent une série de *Castelli*, à l'imitation des *Maisons royales* des Gobelins. Suivirent, entre 1630 et 1641, des tapisseries d'après des cartons de Pierre de Cortone complétant la vie de Constantin et des bordures d'une riche conception contenant des emblèmes de la famille Barberini en contrepartie de ceux de Rubens qui comprenaient des allusions à la Maison royale de France. Cette série se trouve maintenant à Philadelphie (voir David Du-Bon, *Tapestries from the Samuel H. Kress Collection at the Philadelphia Museum of Art – The History of Constantine the Great designed by Peter Paul Rubens and Pietro da Cortona*, Aylesbury, 1964; et le prince Urbano Barberini « Pietro da Cortona et l'Arazzeria Barberini » *Bollettino d'Arte*, vol. XXXV, 1950, p. 43–51 et 145–152).

La série sur la *Vie d'Urbain VIII* fut produite tard dans l'histoire de la manufacture, à partir de 1663, mais elle reprend un sujet qui avait déjà été suggéré pour des fresques devant décorer les murs de la grande salle du palais Barberini (voir une analyse du projet d'iconographie de cette salle par Walter Vitzthum, compte rendu de DuBon dans *The Burlington Magazine*, vol. CVII, mai 1965, p. 262). Les cartons de cette série furent commandés à divers artistes du cercle de Pierre de Cortone, dont Ciro Ferri, Romanelli, Lazzaro Baldi et Camassei. Outre leurs propres bordures étroites, décorées de feuilles de vigne et d'abeilles dans les coins, elles étaient entourées de bordures séparées, très ornées. Ces bordures sont aujourd'hui généralement dispersées. Jennifer Montagu et Marilyn Aronberg Lavin ont reconnu dans les archives Barberini les paiements faits à divers artistes pour les cartons des principales scènes et des bordures, ainsi que les paiements faits à Maria Maddalena della Riviera (morte en 1678), qui semble avoir dirigé l'atelier où elles furent tissées (voir le prince Urbano Barberini, « Gli Arazzi e i Cartoni della Serie "Vita di Ur-

bano VIII" della Arazziera Barberini », *Bollettino d'Arte*, vol. LIII, 1968, p. 92–100). Les tapisseries furent pour la plupart acquises par le Vatican en 1937 de la famille Barberini. Les cartons, à l'exception des trois qui furent cédés à la famille Corsini en 1934, sont exposés au palais Barberini (voir I. Faldi, *I cartoni per gli Arazzi Barberini della serie di Urbano VIII*, Rome, 1967).

Cette série de tapisseries comprenait aussi des scènes antérieures de la vie de Maffeo Barberini, notamment sa réception d'un doctorat en droit de l'Université de Pise et les efforts grâce auxquels il vint à bout de l'inondation du lac Trasimène sous le pape Clément VIII. Cette scène le montre recevant du pape Paul V le chapeau de cardinal après son retour de Paris où il était nonce et où il apprit, en septembre 1606, son élévation à la pourpre cardinalice. Elle est inspirée du carton d'A. Gherardi, qui se trouve dans la collection de la Galerie nationale d'Art ancien au palais Barberini. Divers cardinaux assistent à l'investiture, dont Farnèse, Borghèse, Belarmino, Serafino Olivario et Arigoni, de même que, derrière les balustrades à droite, les ambassadeurs étrangers et, à gauche, des soldats de la Garde Suisse. L'ange tient un lys en signe de pureté et, dans l'autre main, un pallium avec lequel Maffeo sera investi en tant qu'archevêque de Spolète. La mitre que présente le soldat, au premier plan à droite, fait peut-être allusion à Spolète, bien que John Beldon Scott croie qu'il peut s'agir de Nazareth dont Maffeo était l'archevêque titulaire.

C.J.

Le cardinal Maffeo Barberini élu pape   après 1667–1668

Tapisserie en soie et laine,
403 × 525 cm
Musées du Vatican (Inv. 3921)

Le conclave consécutif à la mort du pape Grégoire XV, survenue le 8 juillet 1623, fut long et ardu et, comme il arrivait souvent en été à cette époque, Rome fut frappée d'une épidémie de malaria à laquelle le terrain bas du Vatican était particulièrement favorable. Huit des cinquante-quatre cardinaux participants succombèrent au mal et Maffeo lui-même devait en être frappé à la fin du conclave. Ce n'est qu'à la fin de la session que sa candidature à titre de l'un des *papabili* fut envisagée favorablement; il fut élu le 6 août après avoir rapidement rallié de nouveaux appuis. Comme le nombre des votes n'était pas sûr, le cardinal Barberini ordonna rapidement un second dépouillement du scrutin, avant d'en accepter le résultat qui le désignait comme pape presque à l'unanimité.

C'est ce nouveau dépouillement qui est représenté ici. C'était aussi le sujet d'un poème narratif sur l'élection d'Urbain VIII par Francesco Bracciolini, à qui l'on devait aussi l'iconographie des célèbres fresques de Pierre de Cortone ornant le plafond du palais Barberini, et de l'une des scènes proposées à l'origine pour des fresques murales devant figurer plus bas dans la même salle (voir von Pastor, vol. XXIV, p. 502). Sur le carton de Fabio Cristofani, on voit les cardinaux assemblés dans la chapelle Sixtine – le cardinal Barberini à qui l'on tend la tiare papale faisant signe au cardinal Boncompagni (reconnaissable au portrait que fit de lui Van Dyck, conservé au palais Pitti) de procéder à un nouveau dépouillement des bulletins étendus sur la table, que les autres scrutateurs examinent. Au-dessus d'eux, on voit des allégories de la Modestie et de la Magnanimité (voir C. Ripa, *Iconologia*, éd. de 1970, 300 *sq.*) portant couronne et peau de lion, tenant une corne d'abondance avec deux couronnes, dont celle de Toscane.

On a supposé qu'un dessin de Lazzaro Baldi au Musée des beaux-arts du Canada (fig. 8) représente une scène qui devait faire partie de cette série. De forme presque carrée, semblable à celle du cat. n° 49, il montre le pape assis, flanqué de cardinaux, recevant une tablette que lui tend un personnage féminin agenouillé. D'autres tablettes semblables sont pendues aux murs à l'arrière-plan. Cette scène ne fit pas partie de la série telle qu'elle fut finalement exécutée. Lazzaro Baldi est pourtant clairement désigné à propos de paiements relatifs à d'autres scènes et, dans une lettre de 1663, il est nommé comme ayant été choisi par le cardinal Francesco pour les cartons des tapisseries. (Voir Adolf Cavallo, « Notes on the Barberini Tapestry Manufacture at Rome », *Bulletin of the Museum of Fine Arts*, Boston, vol. LV, n° 299, printemps 1957, p. 22).

C.J.

*Le pape Urbain VIII consacrant
la basilique Saint-Pierre
1671-1673*

Tapisserie en soie et laine,
400 × 519 cm
Musées du Vatican (Inv. 3923)

Depuis son élection, le pape s'était occupé activement de l'achèvement de la nouvelle basilique Saint-Pierre, entreprise durant la première Renaissance par Bramante et poursuivit au XVIe siècle avec l'addition de la coupole par Michel-Ange. En 1605, ce qui restait de la basilique originale de Constantin, érigée sur les lieux du martyre et de la tombe de Pierre, fut rasé pour la construction de la nef de Carlo Maderno (terminée en 1615). Paul V avait attribué à Giovanni Lanfranco l'importante commande de la décoration de la loge de la Bénédiction qui surmontait l'entrée, mais, sous Grégoire XV, il avait été question de la confier au Guerchin. Urbain VIII envisagea d'abord le Bernin pour cette commande (qui ne serait toutefois exécutée qu'au siècle suivant). Il nomma immédiatement le Bernin à la direction de la fonderie du Vatican, et le sculpteur commença à dessiner les énormes colonnes de bronze qui supportent le baldaquin (fig. 5) au-dessus de la tombe de saint Pierre. Entrepris en 1624, le baldaquin fut terminé avec la collaboration de Francesco Borromini en 1633 seulement. Les colonnes avaient été coulées et érigées avant le 18 novembre 1626, jour où Urbain VIII consacra officiellement la basilique.

Le baldaquin est représenté à l'arrière-plan, à droite de la tapisserie, mais le sommet, avec ses grandes feuilles de palmier et les quatre anges dans les coins, n'avait certainement pas déjà été exécuté. Pour consacrer les lieux, le pape avait d'abord dû bénir les douze croix de mosaïque qui furent ensuite fixées aux murs de la basilique; nous en voyons quelques-unes à gauche. Conformément à la tradition, il traça ensuite les lettres des alphabets grec et latin sur le sol. La tapisserie, inspirée d'un carton de Fabio Cristofani, comporte un certain nombre de portraits. Le pape est représenté en évêque de Rome et à ce titre porte la mitre et tient une crosse avec laquelle il écrit les lettres dans la cendre. Sa chape richement brodée est tenue par ses deux neveux, les cardinaux Francesco et Antonio, tandis que leur frère Taddeo (fig. 6), qui deviendrait préfet de Rome à la mort de son père en 1630, se tient à l'extrême gauche. Derrière lui se tient le frère du pape, le cardinal Antonio, de l'ordre des capucins. À droite, on peut voir les jeunes fils de Taddeo Barberini, Maffeo et Carlo, et derrière eux le Bernin qui se tient devant son baldaquin. La Foi et la Religion (voir C. Ripa, *Iconologia*, éd. de 1970,

p. 149 *sqq.* et 430 *sqq.*) survolent la scène. Des documents mentionnent les paiements faits à Giacinto Camassei pour les cartons des bordures de ce sujet, mais les bordures elles-mêmes ont disparu (voir le prince Urbano Barberini, *loc. cit.*, p. 97).

C.J.

Le pape Urbain VIII recevant l'hommage des nations catholiques 1678

Tapisserie en soie et laine, 427 × 407 cm
Musées du Vatican (Inv. 3948)

Le carton de cette tapisserie fut commandé à Pietro Lucatelli en 1667, mais la tapisserie elle-même ne fut livrée qu'à la fin de 1678, Giuseppe Passeri ayant aussi reçu des paiements pour les cartons des panneaux latéraux en 1677. Les dessins préparatoires des cardinaux qui se tiennent de chaque côté du pape se trouvent aux Offices et ont été réattribués à Lucatelli par le prince Urbano Barberini, qui a aussi établi un lien entre ce sujet et un autre dessin qui se trouve à la Fondation Teylers à Harlem (voir *Bollettino d'Arte*, vol. LIII, 1968, p. 99). Les dessins du cardinal à la droite du pape, et de la tenture sur les marches sont à Berlin (voir Peter Dreyer, « Pietro Lucatelli », *Jahrbuch der Berliner Museen*, 1967, p. 256–257, fig. 39 et 40). Comportant de nombreux personnages, la composition est l'une des plus compliquées de la série, tant par sa structure que par son iconographie. Le pape, représenté à peu près comme dans la figure tombale du Bernin (voir fig. 13), est assis sur un trône à droite, sous un baldaquin d'où pend un voluptueux rideau brodé des emblèmes Barberini : le soleil, les abeilles et le laurier. Il est accompagné, à droite, de son neveu le cardinal Francesco, qui commanda la série et, plus loin en arrière, de son neveu le cardinal Antonio, bien que le prince Urbano Barberini ait suggéré qu'il s'agissait là du frère d'Urbain, Antonio. Venise et la France sont au premier plan à droite. Agenouillé devant le pontife, la personnification des États pontificaux (selon John Beldon Scott), porte une couronne de laurier et un sceptre surmonté d'un globe et d'une croix (aussi appelée État de Rome par M. Calberg dans « Hommage au pape Urbain VIII » *Bulletin des Musées royaux d'Art et d'Histoire*, 1959, p. 104). Immédiatement derrière, Malte porte un bouclier sur lequel on peut voir une partie de ce qui semble être une croix de Malte (mais il pourrait aussi s'agir d'une croix de saint Étienne et, dans ce cas, le personnage représenterait Pise). Entre celui-ci et la Toscane (voir Ripa, p. 252) portant cape d'hermine et couronne impériale toscane, un autre personnage féminin en armure, avec casque à plumet, tient à la main une palme pouvant être associée à la Ligurie (voir Ripa, p. 252). Immédiatement derrière, on peut voir un personnage dont on ignore l'identité et, plus loin à gauche, une autre tête couronnée. À l'extrême gauche, un personnage féminin aux seins nus qui tient un arc dans sa main pourrait représenter l'Amé-

rique, car dans le carton sa peau est définitivement foncée. Les sept figures féminines loin à l'arrière-plan ne portent aucun attribut distinctif. À gauche au premier plan, une divinité fluviale appuyée sur un lion tient une corne d'abondance d'où se répandent des pièces d'or. Il s'agit de l'Arno (voir Ripa p. 158 et 252) avec le lion florentin *il marzocco*, ce qui symboliserait l'origine toscane des Barberini.

En identifiant cette scène à une allégorie des nations catholiques rendant hommage au pontife, on ne peut s'empêcher de remarquer l'absence de l'Espagne. Les documents sur les paiements faits à Lucatelli dont le prince Urbano fait mention (*loc. cit.*, p. 98), présente la scène comme étant « l'historia della Santa Memoria di Papa Urbano VIII quando gl'ambasciatori li rendono obedienza », sans toutefois identifier les ambassadeurs en question; l'inventaire dressé à la mort du cardinal Francesco en 1679 désigne la tapissesrie comme étant simplement « L'Obedienze dell'Ambasciatore » (voir M. Lavin, *Seventeenth-Century Barberini Documents and Inventories of Art*, New York, 1975, p. 358). La bordure inférieure, dont la localisation actuelle est inconnue, décrivait une réception de l'empereur éthiopien à Rome.

Au XIXᵉ siècle, avec la succession Barberini, cette tapisserie et deux autres, ainsi que certaines pièces de bordure, passèrent au prince Maffeo Sciara di Colonna et furent vendues en 1892 à un collectionneur belge. Deux de ces pièces furent ensuite achetées en 1947 à Paris sur le marché des œuvres d'art par le nonce, le cardinal Roncalli, futur pape Jean XXIII, qui en fit don aux Musées du Vatican. Entre-temps, ce sujet était entré aux Musées royaux à Bruxelles (voir Calberg, *loc. cit.*, p. 99–110). En 1966, en vertu d'un arrangement, elle fut réunie avec les autres sujets de la série, qui faisaient partie de la collection des Musées du Vatican depuis 1937.

C.J.

Bibliographie choisie

I. Sources imprimées : biographies, guides et documents

Baglione (Giovanni) : *Le vite de' pittori, scultori, architetti, ed intagliatori, dal pontificato di Gregorio XIII del 1572, fino a' tempi di Papa Urbano VIII nel 1642*, Rome, 1642. Édition fac-similé annotée par Bellori (éd. V. Mariani), Rome, 1935.

Baldinucci (Filippo) : *Notizie dei professori del disegno da Cimabue in qua*, Florence, 1681–1728.

Bellori (Giovanni Pietro) : *Le vite de' pittori, scultori ed architetti moderni*, éd. Evelina Borea, Turin, 1976.

Malvasia (Carlo Cesare) : *Felsina Pittrice. Vite de pittori bolognesi*, Bologne, 1678.

Mancini (Giulio) : *Considerazioni sulla pittura*, éd. A. Marucchi et L. Salerno, Rome, 1956–1957.

Noehles (Karl) : *Roma l'anno 1663 di Giov. Batt. Mola*, Berlin, 1966.

Passeri (Giovanni Battista) : *Vite de' pittori, scultori ed architetti che anno lavorato in Roma, morti dal 1641 fino al 1673*, 1ʳᵉ éd., Rome, 1772; éd. J. Hess, Leipzig-Vienne, 1934.

Pastor (Ludwig von) : *Geschichte der Päpste*, Freiburg im Breisgau, 1901. *The History of the Popes* (trad. anglaise), Londres, 1957, vol. XXIII–XXXII.

Pollak (Oskar) : *Die Kunsttätigkeit unter Urban VIII*, Vienne, 1927 et 1931.

Ripa (Cesare) : *Iconologia overo descrittione di diverse imagini cavate dall'antichità, e di propria inventione*, Rome, 1603; éd. française, Paris, 1677.

Titi (Filippo) : *Descrizione delle pitture, sculture e architetture esposte al pubblico in Roma*, Rome, 1763.

II. Le lecteur est prié de se reférer à la bibliographie exhaustive et critique parue dans *Art and Architecture in Italy, 1600-1750*, par Rudolph Wittkower (Harmondsworth, Middlesex, 1958; éd. de poche, 1982). Les références à des sujets plus spécialisés ont été données dans les notes de l'introduction et dans les notices du catalogue. Les ouvrages suivants sont signalés pour leur pertinence aux sujets analysés.

Blunt (Anthony) : *Guide to Baroque Rome*, Londres, 1982.

—— : *The Paintings of Nicolas Poussin, A Critical Catalogue*, Londres, 1966.

—— : « Roman Baroque Architecture: The Other Side of the Medal », *Art History*, vol. III, 1980, p. 61–80, fig. 23–40.

Boorsch (S.) : « The Building of the Vatican: The Papacy and Architecture », *The Metropolitan Museum of Art Bulletin*, hiver 1982/1983.

Borsi (Franco) : *Bernini*, New York, 1984.

Boschloo (A.W.A.) : *Annibale Carracci in Bologna: Visible Reality in the Art After the Council of Trent*, La Haye, 1974.

Brejon de Lavergnée (Arnauld) et Cuzin (J.P.) : *Valentin et les Caravagesques* (cat. exp.), Grand Palais, Paris, 1974.

Briganti (Giuliano) : *Il Palazzo del Quirinale*, Rome, 1962.

—— : *Pietro da Cortona e della pitture barocca*, Florence, 1962.

Faldi (Italo) : *La scultura barocca in Italia*, Milan, 1958.

Harris (Ann Sutherland) : *Andrea Sacchi*, Oxford, 1977.

Haskell (Francis) : *Patrons and Painters: A Study in the Relations between Italian Art and Society in the Age of the Baroque*, Londres, 1963.

Hempel (Eberhard) : *Francesco Borromini*, Vienne, 1924.

Hibbard (Howard) : *Bernini*, Harmondsworth, 1965.

Lavagnino (Emilio), Ansaldi (Giulio R.) et Salerno (Luigi) : *Altari barocchi in Roma*, Rome, 1959.

Lavin (Irving) : *Bernini and the Crossing of Saint Peter's*, New York, 1968.

Lavin (Marilyn Aronberg) : *Seventeenth-Century Barberini Documents and Inventories of Art*, New York, 1975.

Magnanimi (G.) : *Palazzo Barberini*, Rome, 1983.

Magnusson (Torgil) : *Rome in the Age of Bernini*, Stockholm, 1985.

Mahon (Denis) : *Studies in Seicento Art and Theory*, Londres, 1947.

Mâle (Émile) : *L'art religieux de la fin du XVIe siècle, du XVIIe siècle et du XVIIIe siècle*, Paris, 1951.

Mancinelli (F.) : *Vatican Museums: Pinacoteca*, Vatican, 1981.

Martinelli (F.), Fagiolo (M.), Worsdale (Marc), Tocci (L.M.) et Morello (G.) : *Bernini in Vaticano* (cat. exp.), Braccio di Carlo Magno, Vatican, 1981.

Montagu (Jennifer) : *Alessandro Algardi*, New Haven et Londres, 1985.

Parks (N.R.) : « On Caravaggio's "Dormition of the Virgin" and its Setting », *The Burlington Magazine*, vol. CXXVII, 1985, p. 438–448.

Pergola (Paola della) : *Galleria Borghese: i dipinti*, Rome, 1955–1959, 2 volumes.

—— : *The Borghese Gallery in Rome* (guide de la collection), d'abord publié par le Ministero della Pubblica Istruzione en 1951; maintes fois réimprimé.

Pietrangeli (Carlo), Raggio (Olga), Mancinelli (F.) et Morello (G.) : *The Vatican Collections, The Papacy and Art* (cat. exp.), The Metropolitan Museum of Art, New York, 1982.

Posner (Donald) : « Domenichino and Lanfranco: the Early Development of Baroque Painting in Rome », *Essays in Honour of Walter Friedlaender*. New York, 1965, p. 135–146.

Raggio (Olga) : « Bernini and the Collection of Cardinal Flavio Chigi », Apollo, vol. CXVII, 1983, p. 368–379.

Redig de Campos (Deoclecio) : *I Palazzi Vaticani*, Bologne, 1967.

Safarik (A.) et Torselli (Giorgio) : *La Galleria Doria Pamphilj a Roma*, Rome, 1982.

Spear (Richard) : *Domenichino*, New Haven et Londres, 1982.

Spike (J.) : *Portraiture in Italy: Work from North American Collections* (cat. exp.), Ringling Museum, Sarasota, 1984.

Strinati (C.) : « L'Arte a Roma nel Seicento e gli Anni Santi », *L'Arte degli Anni Santi: Roma 1300–1875* (cat. exp.), Palazzo Venezia, Rome, 1984.

Varriano (J.) et Whitman (N.) : *Roma Resurgens: Papal Medals from the Age of the Baroque* (cat. exp.), University of Michigan, Ann Arbor, 1983.

Voss (Hermann) : *Die Malerei des Barock in Rom*, Berlin, 1924.

Waterhouse (Ellis K.) : *Italian Baroque Painting*, Londres, 1962.

——— : *Baroque Painting in Rome: The Seventeenth Century*, Londres, 1937 (réimp.)

Wittkower (Rudolf) : *Gian Lorenzo Bernini, the Sculptor of the Roman Baroque*, 3ᵉ éd., Oxford, 1981.

Table des matières

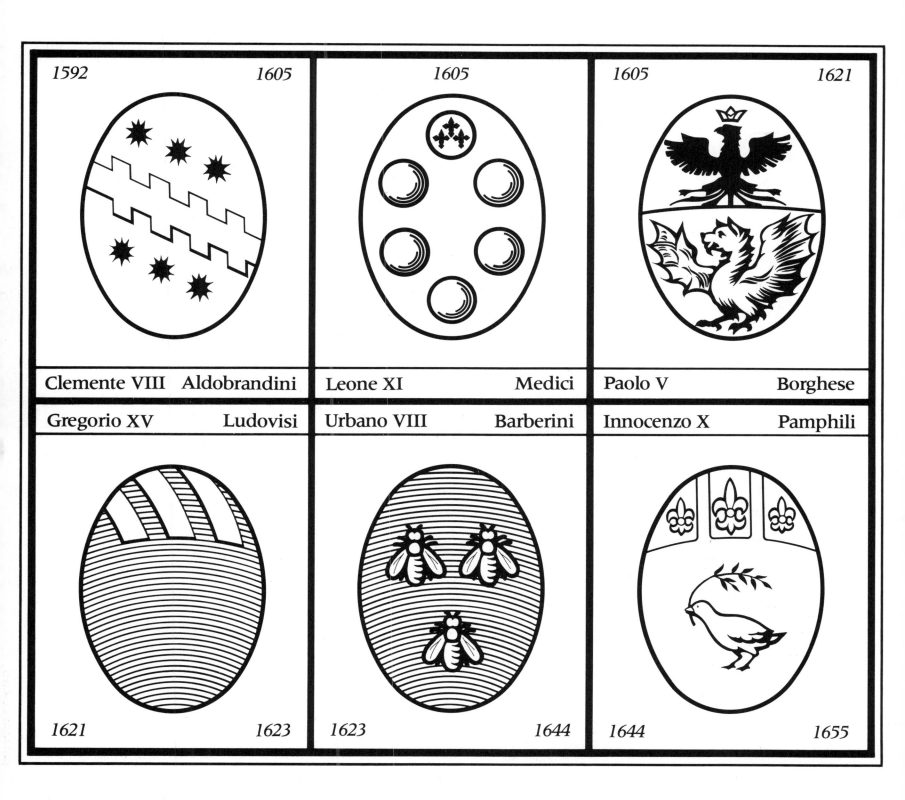

1592	1605	1605	1605	1621

Clemente VIII   Aldobrandini   Leone XI   Medici   Paolo V   Borghese

Gregorio XV   Ludovisi   Urbano VIII   Barberini   Innocenzo X   Pamphili

1621	1623	1623	1644	1644	1655